莊吉發著

清代史料論述 二

文史哲出版社印行

清代史料論述(二) / 莊吉發著. -- 初版. -- 臺北市：文史哲, 民 103.09 印刷
頁： 公分.
ISBN 978-957-547-241-2 (平裝)

1.中國 - 歷史 - 清（1644-1912）- 論文，講詞等

627.007

文史哲學集成 34

清代史料論述 (二)

著　　者：莊　吉　發
出 版 者：文 史 哲 出 版 社
http://www.lapen.com.tw
登記證字號：行政院新聞局版臺業字五三三七號
發 行 人：彭　正　雄
發 行 所：文 史 哲 出 版 社
印 刷 者：文 史 哲 出 版 社
臺北市羅斯福路一段七十二巷四號
郵政劃撥帳號：一六一八〇一七五
電話886-2-23511028・傳真886-2-23965656

實價新臺幣三六〇元

民國六十九年（1980）八月初版
民國一〇三年（2014）九月初版二刷

ISBN 978-957-547-241-2 00034

清代史料論述(二)

目次

清代宮中檔的史料價值

國立故宮博物院現藏清代史料，如：歷朝實錄、本紀、起居注冊、宮中檔、軍機處檔、清國史館檔及各種檔冊等，甚爲豐富，此等史料，對清史之研究，不惟可作增補，且亦足爲發明之用，尤以宮中檔奏摺原件，史料價值最高。滿清入關後，沿襲前明舊制，公題私奏，相輔而行，聖祖親政後，爲欲周知中外，洞悉天下利弊，乃仿奏本形式，命臣工於露章題達之外，另准專摺具奏，舉凡錢糧、雨雪、收成、糧價、吏治、漕運、營務、緝盜、平亂、海防、邊務、薦舉、考核、到任、卸任、及民情風俗等，無論公私，凡涉及機密事宜，或因多所顧忌，或有不便顯言之處，或有更張之請，或慮獲風聞不實之咎，俱在摺奏之列。易言之，聖祖欲以內外臣工爲其耳目，於循常例行公事之外，尚須私下爲皇室服務，密陳得失利弊，故奏摺例應由原奏人親手書寫，摺內之言，不謀於人，不洩於外，硃批密諭亦由皇帝親手書寫，亦不許互相傳閱，或私相探問。遞呈奏摺亦極愼密，固封後儲以加鎖之報匣或夾板，不經通政司，逕由奏事處轉呈御覽，奏摺奉批後卽發還原奏人。

清聖祖在位期間，奏摺奉御批發還原奏人後，尚無繳回之例，世宗卽位後，始命內外臣工將御批奏摺敬謹查收呈繳。康熙六十一年十一月二十七日，世宗諭總理事務王大臣云「軍前將軍各省督撫將軍提鎮，所有皇父硃批旨意，俱著敬謹查收進呈。若抄寫、存留、隱匿、焚棄，日後敗露，斷不宥恕，定行從重治罪。京師除在內阿哥、舅舅隆科多、大學士馬齊外，滿漢大臣官員，凡一切事件，有皇父硃批旨意，亦俱著敬謹查收進呈，此旨。目今若不查收，日後倘有不肖之徒，指稱皇父之旨，揑造行事，竝無證據，於皇父盛治，大有關係。嗣後朕親批密旨，下次具奏事件內，務須進呈，亦不可抄寫存留，欽此。」（註二） 此道上諭是由總理事務王大臣交下乾清門頭等侍衛兼副都統委放領侍衛大臣宗室勒錫亨、乾清門頭等侍衛兼副都統拉錫轉傳。雍正元年正月十二日，兵部咨行各省將軍提鎮轉行各屬一體欽遵，從前提鎮及革職休致凡有奏摺職分官員，查有奉過硃批奏摺，亦令遵旨進呈。嗣後繳批遂成了定例，雖硃批「覽」，或「朕安」一二字者，亦不准隱匿，否則必從重治罪。議政大臣等題奏年羹堯五大逆罪之一為「奏繳硃批諭旨，故匿原摺，詐稱毀破，倣寫進呈。」（註二）塗抹硃批奏摺，則是褻慢狂妄。蘇努曾將聖祖硃批摺子塗抹褻慢，治以大不敬之罪，四格黨附蘇努，代為容隱，經三法司審擬監候，秋後處決（註三）。焚燒硃批奏摺，更屬悖逆。康親王崇安等議奏阿其那四十款罪狀之一為「自知種種不法，惟恐搜其字蹟，家中惡黨書札，悉行焚燒，將聖祖仁皇帝硃批摺子，一併銷燬，悖逆不敬，衆所共知者一也。」（註四）因臣工呈繳硃批奏摺遲速不一，世宗又定繳批期限。雍正八年七月初八日，內閣奉上諭云「各省文武諸臣奏摺，經朕硃筆批示者，俱令呈繳，以備稽查。但向來未定呈繳之期，以致各員遲早不一，有二三月後乘便呈繳者，有於年底彙齊呈繳者。夫既奉硃批查辦此事，下次查辦奏事之時，即應將硃批原摺呈繳，以備朕之檢閱。若具奏此事，而仍留硃批原摺於外，則朕處無檔案可稽，未免難於辦理。著通行曉諭，凡接到硃批者，仍照舊乘便呈繳。若具奏此事，應將原批一併呈進。如所批查辦之事，尚未就緒，准將硃批存留，俟辦理具奏之時，一同呈繳。」（註五）從此以後，繳批已規定期限。硃批奏摺繳回宮中後，與御製詩文、各類清檔、日記賬簿等貯存於懋勤殿等處，後人將這些檔案習稱爲宮中檔。臣工奏摺奉御筆批諭時，君主若以硃筆批諭，即稱硃批奏摺，簡稱硃批。帝后崩殂，在喪事期間，即位新君則用墨筆批諭，清季改用藍筆批諭。因御批奏摺以硃批爲數最多，故概稱爲硃批奏摺，宮中檔案就是以硃批奏摺及其附件如清單、圖冊等爲主，自康熙朝至宣統朝，數量至夥。民國十四年十月，北平故宮博物院成立，設文獻部，開始集中宮內各處檔案。十六年十一月，改文獻部爲掌故部。十八年三月，改掌故部爲文獻館。同年八月，正式開始整理宮中檔案，以原有包封情形爲分類標準，康熙朝奏摺，依人名分類，雍正朝奏摺，對照「雍正硃批諭旨」，分爲已錄、不錄、未錄三類，再依人名分別整理。乾隆至咸豐朝奏摺，則依時代分。同治至宣統朝奏摺，復依人名分（註六）。曾先後刊印「文獻叢編」、「掌故叢編」、「史料旬刊」等書，頗引起學術界的注目與關懷。

近數十年來，由於戰禍連年，輾轉遷徙，清代檔案的整理工作，暫告中斷。民國五十四年，國立故宮博物院在台北士林外雙溪恢復建置以後，首先展開宮中檔的整理工作，包括登錄號碼、內容摘要，並編有分類索引及具奏人姓名索引，便於查閱與運用。近年來陸續出版「故宮文獻」季刊、「袁世凱奏摺專輯」、「年羹堯奏摺專輯」、「宮中檔光緒朝奏摺」、「宮中檔康熙朝奏摺」、「宮中檔雍正朝奏摺等書，將宮中檔奏摺及諭旨按年月日先後編次景印，分輯出版，頗便利中外學人的研究。國立故宮博物院現藏宮中檔奏摺，除夾片及清單、圖冊等附件不計外，共有十五萬八千餘件，其中康熙朝漢文奏摺約三千件，滿文諭摺約八百餘件；雍正朝漢文奏摺約二萬二千餘件，滿文奏摺約八百餘件；乾隆朝漢文奏摺約五萬九千餘件，滿文奏摺約七十件；嘉慶朝漢文奏摺約一萬九千餘件；道光朝漢文奏摺約一萬二千餘件，滿文奏摺約一百餘件；咸豐朝漢文奏摺約一萬七千餘件，滿文奏摺約四百餘件；同治、光緒、宣統三朝漢文奏摺約一萬八千餘件，滿文奏摺約四百餘件。除康熙、光緒兩朝諭摺已出版外，雍正朝正出版中，其餘各朝尚未出版的摺件，爲數仍多。

奏摺原爲君主廣諮博採的主要工具，臣工凡有聞見，無論公私事件，俱應據實奏聞，以便君主集思廣益，督撫提鎮司道等員，彼此不能相商，各報各的，其內容較例行本章翔實可信，所有不便形諸本章的機密事項，或與朝廷體統攸關的事情，或有興革更張之請等，俱在摺奏之列，而且奏摺因有君主的硃批，更增加其價值。因此，就奏摺的性質而言，其重要性，遠在題本之上。其次就宮中檔奏摺原件，或辦理軍機處奏摺錄副的史料來源而言，雖有不少廷臣的奏摺，但其主要來源是來自直省外任官員，所以奏摺對地方事件報導極詳，含有非常豐富以及價值頗高的地方史料，包括吏治、社會、經濟、文化及中外關係各方面，研究有清一代的歷史，奏摺提供了豐富的史料（註七）。

研究清史，各種官書，都是重要的參考資料，但一方面由於體例的限制，一方面由於隱諱潤飾的習慣，原始史料多經刪略，或竄改。例如大將軍費揚古奏報準噶爾軍情，清聖祖實錄記載云：

「撫遠大將軍伯費揚古疏報，康熙三十六年四月初九日，臣等至薩奇爾巴爾哈孫地方，厄魯特丹濟拉等，遣齊奇爾寨桑等九人來告曰，閏三月十三日，噶爾丹至阿察阿穆塔台地方，飲藥自盡，丹濟拉、諾顏格隆、丹濟拉之壻拉思綸，攜噶爾丹尸骸，及噶爾丹之女鍾齊海，共率三百戶來歸，丹濟拉因馬疲瘠，又無糧糗，是以住於巴雅恩都爾地方候旨。其吳爾占扎卜、色稜、阿巴、塔爾、阿喇爾拜、額爾德尼吳爾扎忒喇嘛等，帶二百戶投策妄阿喇布坦而去。額爾德尼寨桑吳思塔台吉、博羅齊寨桑、和碩齊車林奔寨桑等，帶二百戶，投丹津鄂木布而去。除將齊奇爾寨桑等九人，馳送行在外，臣等於十三日，統領大軍，前往丹濟拉所住巴雅恩都爾地方，即押丹濟拉等前來，如其心懷反覆，即行剿滅。」（註八）

費揚古原奏是以滿文書寫，茲譯出原文如下：

「撫遠大將軍管侍衛內大臣伯臣費揚古等謹奏，爲火急奏報噶爾丹之死、丹濟拉等投降事。康熙三十六年四月初九日，臣等至賽爾巴爾哈孫地方時，有厄魯特丹濟拉等所遣齊奇爾寨桑等九人來告云，我等係厄魯特丹濟拉所遣之使者，三月十三日，噶爾丹至名阿察阿穆塔台地方時死亡。丹濟拉、諾顏格隆、丹濟拉之壻拉思倫，攜噶爾丹屍骸，及噶爾丹之女鍾察海，共三百戶往內地來降聖主，駐於巴雅恩都爾地方候旨，不拘聖主如何降旨指示，即欽遵所頒諭旨而行。吳爾占扎布寨桑、吳爾占扎布之弟色稜、阿巴寨桑、塔爾寨桑、阿喇爾拜寨桑、額爾德尼吳扎特喇嘛等領二百戶人往投策妄阿喇布坦，額爾德尼寨桑、吳思塔台吉、博羅齊寨桑、和碩齊車凌布木寨桑等領二百戶人往投丹津鄂木布，丹濟拉等之奏章，現今在我等之處云云。問齊奇爾寨桑等：噶爾丹如何死亡？丹濟拉何以不即前來而留駐巴雅恩都爾地方以候聖旨？據告云：噶爾丹於三月十三日晨得病，至晚即死，不知何病？丹濟拉欲即前來，因馬甚瘦，屬衆大半皆無牲口，俱係徒步，復無行糧，因此，暫駐巴雅恩都爾地方等候聖旨，聖主若許其前來，即遵旨前來等語。若將丹濟拉等所遣使者俱解送聖主處，恐因人繁多，驛馬不敷，故僅將齊奇爾寨桑交郎中諾木齊代作速解送聖主處，阿爾達爾格隆等八人，由臣等攜往郭多里巴爾哈孫地方，由駐防驛站解送聖主處。丹濟拉奏章一件，諾顏格隆奏章一件，丹濟拉之婿拉思倫奏章一件，俱一併先行奏呈御覽，謹此火速奏聞。」（註九）

實錄的記載是據費揚古奏章摘譯後加以潤飾，將齊奇爾寨桑等供詞删略。噶爾丹的死因，據供稱於康熙三十六年三月十三日晨罹病，當晚病故，實錄改書「飲藥自盡」，並將其死亡日期改繫於是年閏三月十三日，與原奏不符。又如台灣朱一貴起事後，閩浙總督覺羅滿保於康熙六十年五月初八日繕寫滿文奏摺奏聞，原摺報導官兵失利情形甚詳，文字極長，譯出漢文後，仍長達一千六百餘字，清聖祖實錄摘譯潤飾後，僅有一百三十餘字（註一〇）。朱一貴等領導反清復明運動，其起事時間是在康熙六十年四月二十日，到五月初六日覺羅滿保始接獲廈門官吏的稟報，五月初八日繕摺拜發，由驛馳遞，六月初三日奉硃批，據實錄載，「福建浙江總督覺羅滿保等摺奏，五月初六日，台灣姦民朱一貴等，聚衆倡亂。」竟將朱一貴起事的時間誤繫於五月初六日，而且對照原摺後知道文意多經删改，與原摺出入甚大（註一一）。同年七月初一日，杭州織造孫文成亦繕寫滿文摺具奏。據孫文成指出是年二月起地方百姓已向台灣道梁文煊首告朱一貴起事，梁文煊亦詳報台灣總兵歐陽凱，但歐陽凱派兵巡查，未能據實查明，總兵與道員二人竟商議以百姓誣告，而用刑拷打，以致有被打死者（註一二），實錄不載其事。易言之，清代官書只能算是轉手史料，利用官書時，宜與第一手史料互相對照，奏摺是第一手史料，可補官書的疏漏。

清聖祖在位初期，勵精圖治，頗多建樹，惟康熙末年，因皇太子再立再廢，諸皇子及王大臣各樹朋黨，彼此傾陷，紊亂國政，聖祖心力交瘁，用人施政，不免失之廢弛。世宗御極之初，即立志以勤先天下，直省奏摺，晚間批諭者十居八九。雲貴總督鄂爾泰捧讀硃批，每當讀至「又係燈下字，墮泪披覽」等語時，即氣咽涕垂，無以自處。雍正十年，世宗特檢歷年批發的硃批奏摺，命內廷詞臣繕錄校理，付諸剞劂，工未告竣，僅成數帙。高宗即位後，不敢意為增益，但就世宗檢錄已定的手批奏摺，彙萋為目，乾隆三年，刊印成書，計十八函，分為一百一十二帙，俱係當時外任官員二百二十三人繳還宮中的硃批奏摺，多者一人分為數冊，少者以數人合為一冊，冠以世宗硃筆特諭，殿以高宗後序，並開列編次、校對、監造、收掌諸臣名銜，稱為「世宗憲皇帝硃批諭旨」（註一三）。在具奏人二百二十三人內，文職最低者為知府、同知，其餘則為道員、布政使、按察使、學政、觀風整俗使、巡撫、總督等。武職最低者為副將、總兵官，其餘則為提督、副都統、都統、將軍等，其中有二人或三人會銜具奏者，因此，實際署名具摺人數，當在二百三十人以上。「硃批諭旨」所選刻過的硃批奏摺，稱為已錄奏摺，其數量不過佔雍正朝奏摺總數的十之一二而已。其後又檢出可以刊發者，準備陸續校理而尚未付梓，稱為未錄奏摺。其餘奏摺，或因未奉硃批，或因硃批文意鄙陋粗俗，或因地方大吏為世宗所憎惡不足為天下表率者，如年羹堯等輩的奏摺，或因奏摺事涉機密而不便公諸天下者，俱不擬刊印，稱爲不錄奏摺（註一四）。「硃批諭旨」是許多外任官員奏摺的集合，亦爲研究雍正時代的歷史所不可缺少的史料。惟對照宮中檔已錄奏摺原件後，可以看出已出版的「硃批諭旨」，不僅將臣工奏摺的內容逐件刪略，硃批旨意尤多潤飾，因而減低了其史料價值。

清廷整理苗疆，改土歸流，開始甚早，康熙三十一年，四川東川土酋祿氏已獻土改流。雍正初年，在鄂爾泰補授雲南巡撫以前，雲貴總督高其倬已開始積極清理苗疆。雍正三年四月，高其倬奏陳調劑黔省事宜云「廣順州所屬之長寨者貢同筍焦山一帶之苗，多係仲家，性好搶掠。其附近各寨，不下數百處，與長寨等處居地相連，暗相依倚，以數百里深阻之地，數百寨凶頑之苗，連成一片，地方文武相離甚遠，鞭長不及，應多設官兵，安立營汛巡防。」（註一五）原摺奉硃批「依議」，鄂爾泰具摺時曾節錄高其倬奏文，於雍正四年四月初九日繕摺奏陳肅清頑苗。惟世宗敕編「硃批諭旨」時，高其倬已奉旨降調，故將前文悉行刪略。是年八月初六日，鄂爾泰具摺奏請分別流土考成以靖邊事，內稱「前於烏蒙事案，荷蒙聖諭，有改土歸流之旨。此誠聖主之軫恤邊氓良法美意，臣等所當仰體聖心，以推類及餘，雖不必明示大舉而爲之，相其形勢，察其事機，可改歸者，即行改歸，其不可改歸，與不必改歸者，姑暫仍其舊。」（註一六）易言之，鄂爾泰清理苗疆，不過仰承世宗改土歸流諭旨而行，世宗曾屢飭臣工不准將密諭敘入本章內，「硃批諭旨」既欲頒賜臣工，故將前錄諭旨等款刪略不刊。地方豎旗起事案件，「硃批諭旨」多諱飾史事，難窺眞相。清代秘密社會的活動，極其踴躍。就現存清代檔案而言，父母會名稱的出現，實早於天地會，在林爽文起事以前，台灣即有父母會的反滿活動。結盟以連心，拜把以合黨，黨衆日夥，遂謀起事。清高宗以天地會是藉名父母會而來，高其倬指出父母會是由福建鐵鞭會改名而來。高其倬具摺時稱「查台灣地方，遠隔重洋，向因奸匪曾經爲變，風習不純，人情易動，此等之事，懲治當嚴。況福建風氣向日有鐵鞭等會，拜把結盟，奸棍相黨，生事害人。後因在嚴禁，且鐵鞭等名，駭人耳目，遂改而爲父母會。」（註一七）「硃批諭旨」選印此件奏摺，但將父母會由來的一段資料刪略不刊。地方大吏辦理對外交涉經過，奏摺報導甚詳。雍正六年正月初八日，鄂爾泰奏陳窩泥規畫事摺內，奉有硃筆夾批云「可謂實在情形矣，但李衞曾欲少振作，朕因其人秉性喜自恃，恐其草率孟浪，未敢信任也。先前高其倬、李衞曾見面奏緬國有向內之意，伊等曾有招撫處，未知近日可有聲息否？」內廷詞臣校理時，在高其倬姓名右旁粘貼黃簽，書明「奉旨不刻」字樣，並將招撫緬甸之語刪削不刊。雍正六年三月二十八日，鄂爾泰抄錄所奉硃批覆奏，並稱「臣查前督臣高其倬曾委遊擊張奮前往探聽，住永昌一年，屢經張奮札移開示。據緬文回稱，內有天朝，外有緬國，原是一片金一片銀，舊無干犯之事，亦無歸附之說等語。金銀之喻，蓋以論尊卑也，及細詢情由，因有一二漢奸勾連近邊彝目，欲內附以叛主，希圖挾制該國，實並無此意。且其地雖與滇省接壤，而過永昌、騰越猶須四十餘日，此亦六合之外，只可存而不論。至於老撾國緊連車里地方，若得內附，用作外衞，甚於邊計有賴，臣早經留意，現在或有機可乘，俟一有確信，即當奏聞。」原摺不失爲研究清初中緬關係的珍貴史料，惟「硃批諭旨」將此段文字刪略不刊。至於緬文內所稱金、銀，並非用以比喻尊卑，而是比喻鄰國和好相處，不犯疆界之意。乾隆三十三年，清軍征緬期間，木邦苗溫曾以棕葉緬文致書清朝將領，略謂「自一千一百一十一年上，九龍江十二處土司都我們得了，有漢官二蘇野一位，傾大野一位，帶字來到我們這裡，說兩國成一國，兩塊金子成一塊，成一條金路、銀路，兩國相好，百姓買賣相通，得有利息，兩下裏各還兩國的錢糧，你做永昌的官，管兩國邊界，不要犯了王法。」（註一八）易言之，金銀兩國，彼此相好，不犯疆界。緬甸致送清廷的銀表，意在通好，不能以尊卑論之。雍正八年十二月十七日，鄂爾泰奏聞南掌使臣回國，莽國請貢事宜一摺稱是年十月十六日，莽國又名阿瓦，即緬甸，差大頭目猛古叮叭喇等至車里致賀刀紹文承襲宣慰。猛古叮叭喇告知守備燕鳴春云「我莽國原早要進貢，不是被前人嚇怕。國王歸誠，久在南掌之先，今還造化，猶得目覩，回去告知國王，明年一定進貢。但路途遙遠，回去就是數月，不能即來，務懇預先稟明雲南大人，求准代奏。」此段記載亦有助於清初中緬關係的研究，經內廷詞臣校理後，刪略頗多，出版的「硃批諭旨」但云「回去告知國王，明年一定進貢，懇預先稟明雲南大人求准代奏。」（註一九）

奏摺進呈御覽後所奉硃批，有行間的夾批即旁硃，亦有末幅或餘幅的尾批，甚至批在奏摺封面上，間亦另附硃筆特諭。「硃批諭旨」所載硃批，多經增刪潤飾，或因原摺批諭文字不雅，或因深夜燈下批覽筆誤，刊印「硃批諭旨」時皆逐句加以潤飾。滿人入主中原後，許多措施都在籠絡漢人，目的在緩和漢人的反滿意識，「硃批諭旨」將奏摺內涉及滿漢畛域的文字，一律刪略不刊。雍正四年十二月二十一日，鄂爾泰奏陳欽遵聖諭事一摺內抄錄硃諭云「朕即位來，如此推心置腹待漢人，而不料竟有王曰期、查嗣庭之輩，頑不可化者。今伊等悖逆不道之事，自然天下共聞者。近因查嗣庭進上物件，記載一事，有旨凡漢人進獻，朕皆不納，楊名時所進之物，朕亦引此旨不受發還。諸如各省督撫之進獻，朕本不喜此事，但朕凡百概遵守聖祖成規而行，若止行此事，非今日之不是，卽當日之非也，所以于朕甚不便，今既有此一機，故發露之。但楊名時有名人物，諸漢人之領袖，可勸他求上一疏或一摺，恠查嗣庭之無人臣禮，引古君臣貢獻之儀，芹敬之道。若如此拒絕，未免隔君臣之情，虧外臣之典之文奏一奏，則從來此事皆是矣。楊名時迂拙，必委曲令爲此舉方好。密之，密之，萬不令楊名時知朕之諭也。」（註二〇）鄂爾泰原摺所錄上諭全文，粘貼黃簽書明「擬刪」字樣，「硃批諭旨」一書遂不見此道硃諭。查嗣庭私編日記，以漢人進獻，一概不受，譏訕朝政，清世宗不勝憤恨，故密諭鄂爾泰勸楊名時上疏進獻。鄂爾泰奉諭後卽致書楊名時，引經據典以說之。「硃批諭旨」又將鄂爾泰札致楊名時全文刪去。楊名時接獲鄂爾泰信札後，卽具本進獻方物。雍正四年十二月二十六日，清世宗實錄載明發上諭一道，詳述其原委。據實錄所載，是楊名時自請進獻，惟對照鄂爾泰原摺後，發現楊名時進獻物品，乃因楊名時爲著名漢大臣，籠絡楊名時，則足以影響其他漢人，故授意鄂爾泰開導楊名時進獻以抒誠悃。查嗣庭既被指爲無的放矢，遂以謗訕下獄。雍正五年五月，查嗣庭卒於獄，仍戮其屍。其餘增刪潤飾之處極多，不勝枚舉。因此，清代雖刊刻「硃批諭旨」，仍未減低已錄奏摺原件的史料價值。至於未錄奏摺及不錄奏摺，史料更豐富，其價值更高（註二一）。原摺內間亦附呈珍貴的資料，例如雍正二年八月初七日，山東巡撫陳世倌奏報地方情形一摺內稱「臣訪得今春三月中，蝗蝻盛發，勢難撲滅，二十七、八、九等日，忽生一蟲，形類螟蛉，其色純黑，其口甚銳。蝗之大者，輒嚙其項，隨卽中分，其小者則銜其頂，負入土內，分置三穴，次第旋遶，向穴飛鳴，聲如蚊蚋。而第一穴之蛹，倐忽亦變此蟲，以次及二穴、三穴，亦皆如之。所變之蟲，頃刻飛躍，相與驅逐，嗌嚂掘穴，銜負蝗蝻，立時盡絕。此蟲亦不知所在，土人名之爲氣不忿。寧陽縣南義社橫嶺口有之，衆耳衆目，驚異稱神。」原摺內附圖一件，以彩色繪出氣不忿的形狀，及嗌嚂掘穴銜負蝗蝻的動作，原摺及附圖，俱不失爲農業史的罕見資料。

乾隆朝以來，檔案種類漸多，其中月摺包內的資料，除部分咨文、知會、札、啓等文書外，主要就是宮中檔奏摺的抄件。月摺包與宮中檔原摺雖有重複之處，但也可以互相補充，宮中檔缺失的部分，常見於月摺包，尤其是原摺所附清單、供詞等件，多移入月摺包。自乾隆朝至宣統朝，錄副奏摺等合計約十九萬件。清季辦理洋務，道咸同三朝「籌辦夷務始末」，不失爲重要資料，但此書所選錄者，始於道光十六年，自道光初年起，錄副摺件甚夥，俱未收錄，而且硃批概行刪略不刊。「諭摺彙存」彙刊了光緒朝許多上諭與奏摺，但這些資料是由京報等彙集而成，其所標寫的日期，並非原奏時間，在內容上亦經刪改，字畫刋刻錯誤之處，所在多是。例如光緒二十四年八月二十日，袁世凱奏報交卸直隸督篆日期一摺內稱「臣所部新建陸軍，現駐小站一帶，拱衞畿疆，是臣專責。值此強鄰環伺之際，正臣子力圖報効之秋。」「諭摺彙存」將「值此強鄰環伺之際，正臣子力圖報効之秋」兩句刪略不刋。光緒二十八年二月十四日，袁世凱奏請獎勵直隸員紳，內云「迨聯軍在境，動輒齟齬，事尤棘手。」「諭摺彙存」將「動輒齟齬」四字刪略不刋。類似例子極多，所有「諸夷」、「島夷」等字樣，皆經刪改(註二四)。

民國五十八年杪，發行故宮文獻季刋，除發表淸史論著外，並分期影印宮中檔康熙、雍正年間摺件。

惟季刊每期選印者，不過數十百件，實不足以饜學人之望於萬一。六十二年春間，美國學術團體聯合會（ACLS）捐助出版基金，國立故宮博物院卽着手籌劃宮中檔光緒朝奏摺編印工作，按年月編排，每月出書一册，每册約一千頁。爲便於查閱，於書首編寫簡明目錄，分別具奏日期、具奏人官職姓名及奏摺摘由。因滿漢文體不同，遇滿漢合璧摺時，卽將滿文部分移置書末，由左而右照原摺影印，並另附滿文奏摺目錄。

是書自六十二年六月出版第一輯以來，按月出版一册，現已全部出版完竣。第一輯影印宮中檔奏摺自光緒元年正月起，至四年四月止，具奏文武大小臣工含陝甘總督左宗棠、內務府總管英桂、成都將軍魁玉、粵海關監督俊啓、淮安關監督文桂、山海關副都統寶珣、崇禮、廣州副都統王鎭雄、大同總兵馬陞、太原總兵黃秉鈞、登州總兵陳擇輔、奉天府尹慶裕及崇厚、崇實、魁玉、訥仁等四十餘人，影印奏摺及夾片計六百七十餘件。第二輯起自光緒四年四月，至十二年三月止，具奏人含兩廣總督劉坤一、曾國荃、張樹聲，陝甘總督左宗棠、山東巡撫文格、成都將軍恒訓、駐藏幫辦大臣崇綱、出使日本大臣徐承祖、奉宸苑卿崇光、廣東水師提督吳全美、廣西提督黃仲慶及軍機處、國史館等八十人，影印原摺及附片計七百七十餘件。第三輯起自光緒十二年六月，至十四年七月止，具奏臣工含兩廣總督張之洞、兩江總督曾國荃、出使日本大臣徐承祖、安徽巡撫陳彝、山西巡撫剛毅、江蘇巡撫崧駿、廣東巡撫吳大澂、廣西巡撫李秉衡、湖南巡撫王文韶、江南織造莊山、湖北按察使覺羅成允、團練大臣林壽圖、署杭州將軍恭壽等四十餘人，影印原摺及附片計八百餘件。第四輯起自光緒十四年八月，至十五年十二月止，具奏臣工含管同文館事務大臣曾紀澤、陝甘總督楊昌濬、兩江總督曾國荃，護理陝西巡撫陶模、護理甘新巡撫魏光燾、湖南巡撫王文韶、江西巡撫德馨、廣西巡撫馬丕瑤、北洋海軍提督丁汝昌、北洋海軍總兵劉步蟾、林泰曾、江蘇學政王先謙及各省道員、知府、監督等八十餘人，影印原摺及附片計九百餘件。第五輯起自光緒十六年正月，至同年十二月止，具奏臣工含陝西巡撫鹿傳霖、湖北巡撫譚繼洵、河南巡撫裕寬、浙江巡撫崧駿、廣西巡撫馬丕瑤、浙江按察使陳寶箴、臺灣布政使于蔭霖及各處監督、道員、知府等一百餘人，影印原摺及附片計一千餘件。

前列各輯所影印之摺件，皆係直接史料，除臣工奏報之循常例行公事外，其涉及中外交涉案件者，爲數亦多。在同光新政中，其重要成就之一，即語文人材之培養。同治元年，恭親王奕訢等奏請設立京師同文館，旋因交涉事務，較前倍多，繙譯語文尤關緊要，總理各國事務衙門奏請派員專管京師同文館，奉旨派曾紀澤、徐用儀總理其事，經曾紀澤等會同總教習丁韙良嚴加整頓後，其績效漸有可觀。光緒十五年十一月，據曾紀澤等奏稱：「現在學生中，除隨同出洋及調往黑龍江、新疆、天津學堂等處差遣外，實計在館者一百十餘名，內英文最優者十餘人，法文最優者五六人，俄文最優者三四人，布文最優者一二人。緣西洋各國通行英法文字，故以此二國文字爲最有用，學生中習此者亦較多，其中兼習天文、算學較優者數人，此外質地較優，學未精熟者有二十餘人（下略）。」案原摺所稱布文即德文。據此奏摺，於京師同文館辦理成效，可窺其梗概。至於同治三年設立之廣東同文館，其辦理情形，亦散見於兩廣總督張之洞、廣州將軍繼格、滿州副都統興存之奏摺及附片。穆宗即位後，清廷雖先後平定太平軍、捻匪之亂，惟光緒初年，新疆回亂仍方興未艾。左宗棠既平陝甘回亂，旋整軍出塞，大破回逆，克復新疆南北兩路，陝甘總督左宗棠俱先後具摺奏聞。其後白彥虎兵敗竄投俄境，左宗棠、劉錦棠等行文俄國遵約縛送白彥虎解回治罪，俄官回文時竟稱：「叛賊本應縛送，但此項人衆均是難民，本國不知是叛賊，故暫養活，欲求皇上將此項養活銀兩賞還俄國報恩不盡，此項難民，中國既趕來，我不便趕出。」支吾其詞，拒不縛送。據卡外陸續逃回纏頭回民稟稱，是時白彥虎已由俄官送至托呼瑪克地方，隨從回黨不及二百人，且稱「白逆現患腹腫，日坐牛乳桶中爲拔毒計。」回亂期間，難民逃入俄境者，據俄國來文稱多達五千人，俄人久踞伊犁，左宗棠既平定新疆回亂，俄國不遵約交還，凡此皆見於左宗棠奏摺，其餘有關界務、逃民及中日、中韓及廓爾喀等關係，皆散見於前列各輯摺件中，無煩縷擧。國立故宮博物院將現藏宮中檔原摺，作大規模有系統之出版，以供中外學人之研究，實屬學術界一大喜訊。

宮中檔內也有部分珍貴的清季國民革命史料，足以補充私家記載的疏漏。

惠州之役是　國父親自領導的第二次革命軍事行動，也是國民革命運動的轉捩點。光緒二十六年庚子夏初，拳變發生，聯軍入京，滿清政權岌岌不保，長江兩湖及東南沿海的會黨志士無不靜極思動，革命黨與保皇黨都認爲運動會黨起事的時機已經成熟。漢口與大通之役是康有爲利用哥老會謀以武力保皇的嘗試。是年七月，自立軍失敗後，國人對於保皇與革命的分野，已有較正確的認識，凡是假借保皇爲旗號的人士，已相繼投向革命的陣營。惠州之役以後，革命黨的志節與精神，遂漸爲國人所重視；清廷的愚昧無能，已暴露無遺，有識之士，對此次起義，無不扼腕歎息，恨其事之不成，此卽惠州之役最大的收穫。

國立故宮博物院現藏清代宮中檔，是文武各員定期繳回宮中而置放於懋勤殿等處的滿漢文御批奏摺，除部分廷臣的摺件外，主要來自直省外任官員。因此，宮中檔藏有非常豐富、價值極高的地方史料。其中頭品頂戴廣東巡撫兼署兩廣總督德壽等人的奏摺，報導庚子惠州起義的經過頗詳，可補官私記載的疏漏。馮自由氏所著「革命逸史」及「中華民國開國前革命史」二書附錄德壽奏摺一件，惟刪略甚多，原摺於光緒二十六年九月十四日由驛馳遞，全文計二十四幅，另附夾片三件，共約三千餘字，馮氏所錄者僅約一千餘字，史料眞貌已難窺見，且人名地名，舛錯頗多，例如三合會黨志士蔡亞生誤作蔡阿牛，黃揚誤作黃楊，蔡景福充先鋒，誤作元帥，其餘奏摺及附片報導亦極詳盡，故宮中檔原摺實爲探討清季革命的直接史料。

乙未廣州之役失敗以後，　國父命陳少白在香港創辦中國日報，以鼓吹革命；命鄭士良設立總機關，以聯絡會黨。據德壽奏報革命黨設在香港租界的總機關稱爲「同義興松柏公司」，其任務爲購備洋槍、鉛藥、馬匹、乾糧、旗幟、號衣，招集各路會黨，付給資本銀三十萬圓，分投布置，約期大舉。惠州之役是選在歸善縣與新安縣交界的三洲田地方作爲大本營，陳少白講述「興中會革命史要」指出革命志士選在三洲田發難的緣故，當英國割讓香港時，將新安縣治割去一半，三洲田就在新安縣西南，僅在割去的新界界外，總機關設在香港，選在三洲田起事，自是最屬相宜。德壽具摺時亦指出三洲田地方，山深林密，路徑紆廻，南抵新安，緊逼九龍租界，西北與東莞縣接壤，北通府縣二城，均可直出東江，逕達省會，東與海豐毗連，亦爲會黨根據地。三洲田既逼近租界，便於接濟，清軍向不設訪，作爲起事的出發點最爲理想。惟其正式發難的日期，諸書記載，各不一致。國立編譯館主編「中國近代現代史」、中國近代史教學研討會主編「中國近代史」、郭廷以編著「近代中國史事日誌」及「萬國公報」等俱謂在庚子年閏八月十五日；鄒魯於「庚子惠州之役」一文則稱革命軍用先發制人計，於閏八月十三日乘夜襲沙灣。宮中檔原摺報導較詳，閏八月初八、九等日，各路會黨志士已向三洲田集中。初十日，德壽所遣補用副將莫善積管帶喜勇一營，由省城馳抵歸善，革命志士尚未會齊，清軍猝至，遂提前於十三日豎旗發難，旗上書寫「大秦國」及「日月」字樣，革命志士頭纏紅巾，身穿白布鑲紅號褂。鄭士良、劉運榮充軍師，蔡景福、陳亞怡充先鋒，何崇飄、黃福、黃耀庭充元帥，黃揚充副元帥。因鄭士良此時尚在香港，暫由黃福率領志士八十人猛攻新安沙灣墟，奮勇殺敵，陣斬四十人，清兵潰不成軍。（註二三）次日黎明，革命軍乘勝追擊，直逼新安縣城。革命軍起事後二日，其消息始爲外界所知。是月二十一日，因清軍水師提督何長清所率新舊靖勇及各軍礮勇一千五百名已至深圳墟屯紮，革命軍乃回攻橫岡，進佔龍岡，轉圖惠州府城。二十二日，博羅縣的會黨首領梁慕光、江維喜等亦率衆響應圍攻縣城，另以小隊進逼惠州府城，此時鄭士良亦自香港來會，連次接仗，蔡亞生、陳亞福等志士陣亡，歸善縣丞杜鳳梧及補用都司嚴寶泰等爲革命軍所擒。是日夜，革命軍宿營於鎮隆。二十四日，革命軍由永湖出發，擊退清軍大隊，陸路提督鄧萬林中槍墮馬竄逸，俘清兵數百人，革命志士黃揚不幸爲清兵所誘殺。二十五日，革命軍進攻河源縣城，不克。次日，轉往崩崗墟，紮營於梁化雷公嶺，因彈藥不繼，謀出東江，爲清兵所遏，乃折而東走，轉攻三多祝附近的黃沙洋地方。當清軍管帶練兵營副將朱義勝等率所部抵達時，革命軍已攻佔三多祝，此時革命軍號稱二萬人。二十七日黎明，清軍都司吳祥達等率各營兵來攻，革命軍分路抵抗，自辰亥戰至日昃，雙方損失甚衆，志士劉運榮、何崇飄、楊發等統將不幸犧牲，同時殉難的志士多達五六百人，三多祝、黃沙洋兩處亦失去。當革命軍與清軍在三多祝展開激戰之際，海豐大嶂山、河源及和平等縣會黨數千人亦同時進攻各城，以謀響應。其中會黨首領曾金養率衆進攻和平縣城，毀南門城樓，城內廣毅軍營勇傾巢而出，會黨志士寡不敵衆，曾金養等陣亡。革命軍在三多祝失敗後，退往海東平政墟，九月初五，走至黃埠，清軍都司吳祥達窮追不捨。因通往廈門之路被阻，革命軍議決沿海岸退出，渡海再返三洲田大本營，並由香港另謀補給。因此，由黃埠分道南走，在濱海的巽寮集結，謀攻平海所城。清軍水師提督何長清急檄副將張邦福督率靖勇礮隊由海上馳援，初八日，清軍抵達平海所，革命軍乃向赤岸地方轉進。鄭士良等見事已無可爲，於解散會黨志士後，與黃福、黃耀庭諸人先後從間道返回香港。

爲策應惠州的軍事行動，乃有史堅如謀炸德壽之舉。廣州巡撫衙署後方，原屬官荒，後經民人繳租，建屋居住，漸趨繁庶。史堅如在撫轅花園後牆外偏僻曲巷後代宋少東夫婦租賃樓房一座，以便埋置炸藥。宮中檔夾片內亦稱撫署牆外原係偏僻曲巷，巷內宋姓新賃房屋卽緊貼衙署後牆。其炸藥是由澳門運來，令宋少東埋放屋內。「中華民國開國前革命史」謂掘地道的工作開始於八月初五夕，炸藥轟發的日期，黎東方著「細說民國」繫於九月初七日黎明。三洲田發難於閏八月十三日，其謀炸德壽當不在八月。據德壽奏稱九月初六日黎明時候，巡撫衙署牆外忽有炸藥轟發，屋瓦震飛，人聲鼎沸，衙署後牆被衝塌二丈餘，房屋已深陷成坑，兩旁民房震倒八間，壓斃大小男女六人，致傷五人。初七日，清軍統領介字營總兵馬維騏督率勇線在省港輪船馬頭捕獲史堅如。九月十八日，史堅如遇害。

惠州之役，革命軍與清軍激戰凡十餘仗，歷時一閱月，以寡擊衆，屢獲大捷，紀律嚴明，當革命軍大隊於閏八月二十三日向永湖進發時，所向披靡，沿途秋毫無犯，各處鄉民皆燃放爆竹迎送，爭相以酒食慰勞。是役，革命軍雖未奏功，惟有志之士，多起救國之思，參加革命者日衆，即舊日保皇黨人，亦多易幟改變宗旨，革命風潮，益爲洶湧澎湃。

註釋

（註　一）宮中檔，第七七箱，九三包，二六四二號，雍正元年二月二十五日，吳陞奏摺。
（註　二）「清史列傳」，卷一三，頁一五。
（註　三）「大清世宗憲皇帝實錄」，卷七七，頁一五，雍正七年正月二十七日，上諭。
（註　四）同前書，卷四五，頁一〇，雍正四年六月甲子，據崇安等奏。
（註　五）同前書，卷九六，頁四八，雍正八年七月乙亥，內閣奉上諭。
（註　六）方甦生撰「清代檔案分類問題」，「文獻論叢」，論述二，頁三三。
（註　七）陳捷先撰「宮中檔光緒朝奏摺出版前記」，「宮中檔光緒朝奏摺」第一輯，頁四。
（註　八）「大清聖祖仁皇帝實錄」，卷一八三，頁七。康熙三十六年四月甲子，據費揚古疏報。

〔註　九〕「宮中檔康熙朝奏摺」，第九輯，滿文諭摺第二輯，頁三五；譯文見拙譯「清代準噶爾史料」，初編，頁二一五。

〔註一〇〕「大清聖祖仁皇帝實錄」，卷二九三，頁一，康熙六十年六月癸巳，據覺羅滿保奏。

〔註一一〕拙撰「從國立故宮博物院典藏宮中檔談清代台灣史料」，「幼獅月刊」，第四十六卷，第四期，頁四〇。

〔註一二〕拙譯「孫文成奏摺」，頁一〇〇。原摺見「宮中檔康熙朝奏摺」，第九輯，頁七七四。

〔註一三〕「欽定四庫全書總目」，卷五五，史部，詔令奏議類，頁一一。

〔註一四〕宮中檔，第七五箱，三九八包，一一八五七號，雍正六年二月十六日，田文鏡奏摺，內附素紙簽，書明「此係密奏之摺，內有硃筆刪改之處，硃批內又有密諭田文鏡之旨，伏祈皇上訓示。奉旨不錄。」

〔註一五〕宮中檔，第七九箱，三一六包，六一八一號，雍正四年四月初九日，鄂爾泰奏摺。

〔註一六〕宮中檔，第七九箱，三一六包，六一九五號，雍正四年八月初六日，鄂爾泰奏摺。

〔註一七〕宮中檔，第七九箱，三二〇包，六四七〇號，雍正六年八月初十日，高其倬奏摺。

〔註一八〕拙撰「清高宗時代的中緬關係」，「大陸雜誌」，第四五卷，第二期，頁二七。

〔註一九〕「雍正硃批諭旨」，第九函，硃批鄂爾泰奏摺，第八冊，頁三〇。

〔註二〇〕宮中檔，第七九箱，三一六包，六二〇九號，雍正四年十二月二十一日，鄂爾泰奏摺。

〔註二一〕拙撰「從鄂爾泰已錄奏摺奏摺談『硃批諭旨』的刪改」，「故宮季刊」，第十卷，第二期，頁二一至頁四四。

〔註二二〕陳捷先撰「袁世凱奏摺專輯出版前記」，「故宮文獻」，特刊第一集，「袁世凱奏摺專輯」，頁一至頁九。

〔註二三〕宮中檔，第二七一一箱，一八包，三三四〇號，光緒二十六年九月十四日，德壽奏摺。

山東巡撫臣陳世倌謹
奏為報明事欽惟我
皇上宵旰勤勞無時不以民生休戚為念
天心默應雨暘順時百穀咸登萬民樂業今
者農功已畢處處豐收當數年災祲
之餘歲書大有其歡忻鼓舞歌詠
聖德實有非言詞所能盡者其收成分數
俟各屬報到齊日彙具奏
聞至民間種麥之候多在七八月間惟恃
七月有雨則不患愆期今自七月望
後以來各州縣報有雨澤絡繹不絕
皆得及時播種兗郡所屬中已有發
茁者其蕎麥豆子並悉茂盛是今歲
之西成已慶全稔而明年之東作又
復可期各屬蝗蝻俱已撲滅惟郯城
滕縣尚報時有飛蝗自南而來臣總
令其撲捕務盡并嚴飭各屬趁此田
禾已穫令其親督人夫盡力翻犁務

使遺種之在地中者期於盡絕而止
臣訪得今春三月中蝗蝻盛發勢難
撲滅二十七八九等日忽生一虫形
類螟蛉其色純黑其口甚銳蝗之大
者輙嚙其項隨即中分其小者則銜
其項負入土內分置三穴次第旋遠
向穴飛鳴聲如蚊蚋而第一穴之蝻
倏忽亦變此虫以次及二穴三穴亦
皆如之所變之虫頃刻飛躍相與驅
逐嚙噬掘穴銜負蝗蝻卒時盡絕此
虫亦不知所在土人名之爲氣不忿
寧陽縣南義社横嶺口有之衆耳衆
目驚異稱神縣丞吳弘任得之目擊
他處亦時有此虫臣遣委捕蝗遊擊
傅為斗亦所親見至山鵲一事訪有
確實另行奏
聞再東省衿監往往把持衙門武斷鄉曲
臣已將滕縣之劣衿孫振遠泰安州

之劣衿趙普劉圭尚方琯及嶧縣之
監生馬如龍等恣行訪拏分別詳明
禮部并撤學道斥革究審并刊發告。
示曉諭在案茲奉
聖諭隨并轉飭學道呂文櫻嚴加約束務
使改心易慮守法奉公不敢稍有寬
縱其有劣紳款蹟多端貽害地方者
臣訪查得實另疏奏
聞請
旨恭革治罪所有原奉
硃批奏摺六件遵
旨恭繳臣謹
奏

朕知道了

雍正貳年捌月初柒日

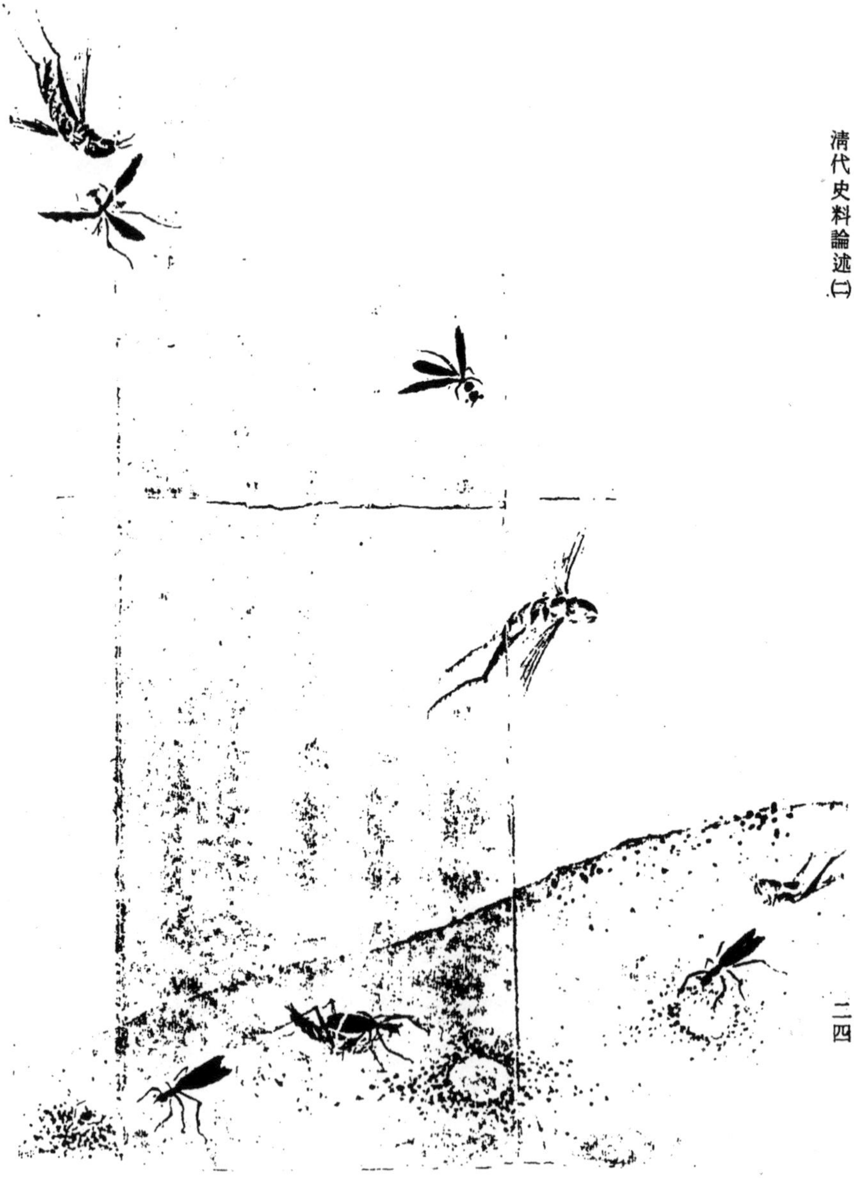

使有所存餘以為地方根本并使百姓知
有所恃所有情節臣謹繕摺
奏
聞謹
奏
果皆如此至誠悚迎感求看明年
上天之賜佑也
雍正陸年捌月初拾日
福建總督臣高其倬謹
奏為
奏
聞事雍正六年四月十八日臣訪聞臺灣北路
地方有奸徒結盟拜把藏有大旗二面長

槍四十桿以雙龍啣珠銀班指為號又有
僧人梁懷以假辦冒為俗人形迹可疑臣
隨飛檄密行臺灣總兵王郡臺灣道吳昌
祚臺灣知府俞存仁諸羅縣知縣劉良璧
等查臺灣孤懸重洋之外南北二路相離
遥遠人衆龐雜風習不純奸宄往往託為
將聞之人煽惑引誘結盟拜把其意叵測
惟在地方官時時留心嚴查確訪除其根
窩重懲黨首消萌於未熾之先治奸於初
兆之際始能使匪悉警歛地方寧謐近訪
聞得北路鹽水港拏獲梁懷一名係僧人
以假辦裝做俗人事誘又北路茄荖仔地
方拏獲盟黨一起共有百餘人藏大旗二
桿長槍四十桿以雙龍啣珠銀班指為號
似此雖難即信為萬確但地方中皆有匪

頻於此可見最關緊要合嚴飭查拏該鎮
道府縣立即嚴密訪拏躧緝不得絲毫疎
忽怠玩無分疆境協力查辦凡緝到奸匪
即刻會訊確供如有倡首誅匪的據實情
即會同巡臺御史請總兵
王命將為首及情重者立刻押出曉示正法餘
者解審究結仍不許兵役借端訛詐如無
誅匪實情即照常審究詳報等因飛飭去
後於四月二十一日據臺灣鎮總兵王郡
稟稱據諸羅縣知縣劉良璧訪聞縣屬相
離八十里之茇仔林地方有無知棍徒招
類結盟拜把隨查拏獲湯完陳岳二名又
續獲蕭亮賴妹朱寶陳斌魏迎魏祖生共
八名嚴訊眾供相同除蕭亮相約未到外
餘係每人出銀一兩陳斌招人於雍正六

年正月十三日在湯完家結父母會在湯
完家插血拜把共二十三人湯完為大哥
朱寶為尾弟三月十九日係湯完生日又
要招人再拜把十八日即被拏獲等情又
據臺灣道府及諸羅縣俱各報前來 臣又
批令務盡嚴拏夥黨確訊照前檄辦理去
後於七月初十日據總兵王郡護理臺灣
道臺灣知府俞存仁諸羅縣知縣劉良璧
臺灣縣知縣張廷琰等各稟稱陸續又拏
到蔡祖黃富方結吳灶張壽吳科王馬四
黃贊許亮林二等及覆嚴訊各供相符系
雍正六年正月十二日陳斌在湯完家起
意招人結父母會每人出銀一兩拜盟如
有父母老了彼此幫助共約賴妹何又王
馬四陳岳魏迎魏祖生方結吳灶張壽吳

科黃富許亮黃贊蔡祖朱寶林生林二阿
抱林茂鬼里長撫老興二十三人拜把結
盟以湯完為大哥朱寶為尾弟蔡祖為尾
二與朱寶蔡祖各緞袍一件帽一頂鞋襪
一雙銀班指一個餘人沒有給甚麼物件
正月十三日結拜三月十九日是湯完生
日又要再拜各人以針刺血滴酒設誓是
實是結父母會並無大旗長槍軍器再四
嚴審同供不移除阿又林生林茂鬼里長
撫老興現在嚴拏務獲究擬撫亮審無入
夥外查定例異姓歃血訂盟不分人之多
寡照謀叛未行律為首者擬絞監候秋後
處決為從者杖一百流三千里僉妻發遣
至配所折責四十板此案雖湯完為大哥
實係陳斌起意招人應以陳斌為首擬絞

監候其湯完王馬四陳岳林二暢妹魏包
魏祖生方結吳灶張壽吳科黃富許亮黃
贊均照為從擬流黃贊蔡祖朱寶均年未
及歲應照律收贖與眾前來又巡臺御史
赫碩色夏之芳亦寄書與臣言研訊實情
止是歃血拜把無謀匪藏械情節又臣於
八月初一日據諸羅縣稟報於六月內該
縣同守備楊樊訪得縣屬蓮池潭亦有棍
徒拜把拏獲陳卯一名供係蔡蔭為大哥
共二十一人隨又陸續拏獲蔡蔭林寶楊
泳田妹廖誠林元洪林生周雙黃茂董法
石意黃富曾赶蕭養等嚴訊係蔡蔭為大
哥雍正四年五月初五與陳卯林寶楊泳
田妹廖誠周雙周添曹文道吳結林元黃
富董法十三人結盟有盟之時未歃血又

於雍正六年三月十八注生娘娘生日又在蕭養家飲酉擂盟十三人又添新來洪林生施俊郭緻曾瓩陳郡黃代蕭養石意八人共二十一人再行結父母會拜把內周變不到共二十人仍以蔡蔭為大哥以石意為尾弟與石意布袍一件涼帽一頂鞋襪一雙並無器械擬將蔡蔭照未結歃血焚表結拜兄弟為首例杖一百折責四十板陳卯林寶楊泳田妹廖誠林元洪林生周變郭緻黃代董法石意黃富曾瓩蕭養合依為從例杖八十折責四十板但董法石意僅十五歲不及年歲應照例量予責懲曾文道周添吳結施俊陳郡五犯嚴緝務獲究擬又據總兵王郡護臺灣道臺灣府知府俞存仁等亦各稟報前來臣查臺灣地方遠隔重洋向因奸匪曾經為變風習不純人情易動此等之事懲治當嚴況福建風氣向日有鐵鞭等會拜把結盟奸棍相黨生事害人後因在在嚴禁且鐵鞭等名駭人耳目遂改而為父母會乃其奸巧之處臣查結盟以連心拜把以合黨黨衆漸多即謀匪之根湯完一案雖據審無謀匪藏械蔡蔭一案雖據審無歃血等情似應照例擬究完結但臺灣既不比內地而湯完等拜把竟有銀班指非尋常拜把之物且陳斌固係捐人起意之人而湯完現做大哥豈可輕縱又蔡蔭一案雖無歃血而兩次拜把既屬再犯且其夥漸增尤為不法臣擬將湯完陳斌俱行令曉示立斃杖下以示懲警餘人照例解審開流

蔡陞二次拜把為首亦應行令曉示杖斃
餘二次拜把者加重枷責押過海交原籍
禁管安插隨將此意商同撫臣朱綱撫臣
意亦相同正在擬會同檄行臣又訪聞此
二案內頗有衆盜在內若曾經為盜雖為
從者亦難輕縱臣現再飛飭行令確查俟
分別明白再行詳飭發落所有情節臣謹
詳行繕摺先行
奏
聞其梁悰一名細令研審實係貪戀幼童故扮
從人無為匪情由除臣行令查明係何項
之僧照例加處謹一併附
奏
知道了辦理的是
雍正陸年捌月初拾日

福建總督臣高其倬謹
奏為
奏
聞事臣查福建飄洋船隻仰蒙
皇上隆恩准令前往外洋貿易臣隨欽遵行令
廈門文武各員將各飄洋商船人貨俱取
地方官印結及行家的保各結嚴查明白
陸續於雍正五年十月以後六年三月以
前共船二十一隻由廈門出口前往今於
本年六月末旬至七月內據署泉州海防
同知印務張嗣昌前後共報商船戶魏勝
興林萬春謝合興陳永盛高陞魏長興甘
弘源陳得勝許隆興蘇永興陳國泰楊若
心共一十二船俱已回廈共計載回米一
萬一千八百石餘係燕窩海參蘇木牛皮

誕之人卽使到閩令其赴任伊若任意行爲必致
貽誤臣因地方起見謹一面奏
聞一面俟朱鴻緒到閩卽竟留之省城令其明白回奏
候
旨至臺灣道一缺臣看新到汀漳道孫國璽前在杭州
知府任內官聲才具俱好近見其人心地明白爲
人端方用之海外重地似爲相宜仰祈
皇上以孫國璽調補臺灣道其朱鴻緒俟其明白回
奏之後若無虛妄之處再以道員補用臣謹就所見
繕摺奏

聞伏乞
睿鑒謹
奏

此奏甚是已有旨矣

雍正六年八月初十日福建總督臣高其倬謹
奏爲奏
聞事竊查福建省自七月初旬以來興化漳州汀州建
寧邵武延平福寧上六府一州之各屬有報得雨霑
足者有報得雨甚大者有報連得小雨者將來晚
稻俱可有收其雨小之處不過收成稍減惟福州
泉州二府所屬天氣甚旱除永福縣已報霑足其
古田羅源閩清安溪永春德化六縣俱報已得大
雨晚稻將來可得五六分收成餘福州府屬之閩
縣侯官長樂福清連江泉州府屬之晉江南安同
安惠安此九縣所有晚稻十停之中田內無水竟
不能種者二三停已種稻而乾壞者二三停俱無
收成餘四五停內有山泉及潮水浸泡者一分有
水可車潤者三分此四五停之田將來晚稻可望
四五分收成臣同撫臣朱綱現遣員詳細踏看分
別成災分數另行具

題外臣前
奏摺內奉有
硃批閩省自不能全慶豐收何也吏治如斯安望嘉應
俟朱綱到任後或看有無徵驗
天道惡僞惟一派公誠方能默有感召欽此欽惟我
皇上聖鑒早已見徹
聖主睿照如神臣罪爲死莫贖臣奉職無狀深負
聖恩上干
天和下貽民瘼慚愧汗慄無地自容伏乞
皇上立賜嚴治臣罪以爲不誠不公貽誤封疆之戒臣

實無詞但臣犬馬寸忱更有冒死仰懇
天恩者臣當無事之時玩廢封疆而當旱災既成之後
將難辦之處卸肩他人雖則臣膺重罪而臣仍因
此作事外之人臣心萬不能安萬不肯安臣謹垂
淚叩頭仰懇
皇上重治臣罪或暫留閩聽督撫差遣檢旱災最甚極
緊要之地令臣幫同州縣辦理一切糶賑之事事
一竣畢即正臣罪使臣心於萬分難安之中得盡
犬馬之心於毫釐死亦瞑目實出
聖主天地父母之恩臣不勝惶悚愧恧之至謹

奏
果肯如此誠心悔過返躬自責試觀來年
上天之錫佑必不爽也
同日又
奏爲奏
聞事雍正六年四月十八日臣訪聞臺灣北路地方有
姦徒結盟拜把藏有大旗二面長槍四十桿以雙
龍蜘珠銀班指爲號又有僧人架懷以假辦冒爲
俗人形迹可疑臣隨飛檄臺灣鎮道府縣密行訪
緝嚴拏會訊去後於四月二十一日據臺灣鎮總

兵王郡稟據諸羅縣知縣劉良璧訪聞縣屬麦仔
林地方有無知棍徒招類結盟拜把隨經拏獲湯
完陳岳二名又續獲蘇亮賴妹朱寶陳斌魏迎魏
祖生共八名嚴訊衆供相同除蘇亮相約未到外
餘係每人出銀一兩陳斌起意招人於雍正六年
正月十三日在湯完家結父母會歃血拜把共二
十三人湯完爲大哥朱寶爲尾弟三月十九日係
湯完生日又要招人拜把十八日即被拏獲等情
幷據臺灣道府及諸羅縣報同前由臣又批令務
盡嚴拏賊黨去後於七月初七日據臺灣鎮道府

縣等各稟稱陸續又拏到蔡祖黄富方結吳寵張
壽吳科王馬四黄贊許亮林二等十八人反覆嚴訊
與前獲之湯完等所供無異刺血滴酒設誓拜把
是實並無大旗長槍軍器除未獲之阿乂林生林
茂鬼里長蘇老輿現在嚴拏務獲究擬蘇亮審無
入夥外查定例異姓歃血訂盟不分人之多寡照
謀叛未行律爲首者擬絞監候爲從者杖一百流
三千里此案雖湯完爲大哥實係陳斌起意招人
應以陳斌爲首擬絞監候其湯完等各犯均照爲
從擬流黄贊蔡祖朱寶年未及歲應照例收贖具

稟前來又臣於八月初一日據諸羅縣稟報於六月內該縣同守備楊樊訪得縣屬蓮池潭亦有棍徒拜把拏獲陳卯一名供係蔡蔭爲大哥共二十一人隨又陸續拏獲蔡蔭林寶楊派田妹廖誠林元洪林生周變黃戉董法石意黃富會屘蕭養等嚴訊係蔡蔭爲大哥雍正四年五月初五日與陳卯林寶楊派田妹廖誠周變周添會文道吳結林元黃富董法十三人結盟是實並未歃血又於雍正六年三月十八日在蕭養家飲酒舊盟十三人新添洪林生施俊郭緞會屘陳郡黃戉蕭養石意八人共二十一人再行結父母會拜把內周變不到共二十八人仍以蔡蔭爲大哥以石意爲尾弟並無器械擬將蔡蔭照未結歃血焚表結拜兄弟爲首例杖一百折責四十板陳卯等合依爲從例杖八十折責三十板內董法石意僅十五歲應照例量予責懲會文道周添吳結施俊陳郡五犯嚴緝務獲究擬又據臺灣鎮道知府亦各稟報到臣臣查臺地遠隔重洋風習不純人情易動此等之事懲治當嚴且結盟以連心拜把以合黨黨衆漸多即謀匪之根何可從輕發落臣擬將湯完陳斌俱行令曉示立斃杖下以示懲警餘人照例解審問流蔡蔭二次拜把爲首亦應杖斃餘者加重枷責押過海交原籍禁管安插隨將此意商同撫臣朱綱撫臣意亦相同正在會同檄行臣又訪聞此二案內頗有案盜在內若會經爲盜雖爲從者亦難輕縱臣現又飛行確查俟分別明白再行詳飭發落所有情節臣謹先行奏

聞其梁懷一名細令研審實係貪戀幼童故扮俗人無爲匪情由除臣行令查明係何項之僧照例加處謹一併附

奏

知道了處斷俱屬合宜

同日又

奏爲奏

聞事竊查福建飄洋船隻仰蒙

皇上隆恩准令前往外洋貿易臣隨欽遵行令廈門文武各員將各飄洋商船人貨俱取地方官印結及行家的保各結報查明白陸續於雍正五年十月以後六年三月以前共船二十一隻由廈門出口前往今於本年六月末旬至七月內據署泉州海

再本年閏八月間惠州會匪猖獗之時謠言四
起誠恐匪類來省潛伏圖為內應先經飭令營
縣嚴密查拏以防不測詎九月初六日黎明時
候奴才巡撫衙署牆外忽有炸藥轟發屋瓦震飛
人聲鼎沸即經府縣營汛前往勘驗牆外原係
偏僻曲巷巷內有宋姓新賃之屋緊貼衙署後
牆牆被衝塌二丈餘屋已深陷成坑兩旁民房
震倒八間壓斃大小男女六人致傷五人當飭
南海縣妥為撫卹並傳屋主詳細根究知由史
經如代宋少東租賃居住不及十日旋於初七
日由統領介字營總兵馬維騏督率勇綫在省
港輪船馬頭將史經如拏獲解縣訊辦供認為
孫汶黨羽創設興中會伊充廣東省城偽總統
宋子昌即宋少東為頭目歸伊節制炸藥係由
澳門運來令宋少東埋放屋內冀成大事宋少
東裝訖火引先行逃避等語提經司道覆訊不
諱稟由奴才批飭正法梟示犯產封變充公茲據
廣東緝捕總局司道等將拏獲史經如出力員

弁詳請
奏獎前來奴才伏查逆犯史經如糾眾設會膽敢暗
埋炸藥轟毀署牆其為惠州會匪內應自無疑
義雖奴才衙署房屋未被炸損而合省人心甚為
惶惑幸仗
聖主威福立即破獲懲辦一面出示曉諭解散餘黨
免予窮治仍嚴禁謠傳密拏逃匪地方始漸又
安所有拏獲逆犯出力員弁自未便沒其微勞
可否仰懇
天恩俯准將都司銜儘先補用守備張耀山免補守
備都司以遊擊儘先補用五品藍翎儘先拔補
把總張大鵬以千總儘先拔補六品軍功儘先
拔補外委郭保全以把總儘先拔補已革前署
廣西鬱林營參將林有成留營效力以示鼓勵
而觀後效之處出自
逾格鴻慈除仍飭嚴拏逸犯宋子昌即宋少東務獲
懲辦並飭取各員弁履歷咨部外理合附片具
陳伏乞

清代雍正十三年條奏檔的史料價值

國立故宮博物院現藏宮中檔，除部分上諭、廷寄、清單及夾片外，最主要的就是清代臣工繳回宮中，置放於懋勤殿等處的御批奏摺。依奏摺書寫文字的不同，可分為漢字摺、滿字摺與滿漢合璧摺等；依奏摺性質的差異，則可分為請安摺、謝恩摺、奏事摺與條陳摺等。臣工凡有建白，即可具摺條陳，此類摺件就是所謂條陳摺（haciIame wesimbure jedz）。雍正十三年（一七三五）八月二十三日，世宗崩殂，高宗御極後，為欲周知庶務，洞悉利弊，於同年九月十九日頒降諭旨，命廷臣輪班條奏。其諭旨云「帝王御宇，必周知庶務，洞悉民依，方能措置咸宜，敷施悉協，是以明目達聰，廣咨博採，俾上無不知之隱，下無不達之情，乃治平天下之要道也。我皇考聖明天縱，生知安行，智周道濟，昭晰靡遺，然猶虛衷延訪，公聽並觀，時令在廷臣工條奏事件。凡有敷陳當理，裨益庶政者，立見施行，並加獎敘。十三年以來，政治澄清，蕩平正直，貽天下萬世以久安長治之庥。蓋所取於集思廣益者，非淺鮮也。以朕藐躬何敢上擬皇考盛德於萬一，且自幼讀書宮中，從未與聞外事，耳目未及之處甚多，允宜恪遵皇考開誠布公之舊典，令在京滿漢文武諸臣仍照舊例，輪班條奏，其各抒所見，深籌國計民生之要務，詳酌人心風俗之攸宜，毋欺毋隱，小心愼密，不得互相商搉，及私爲指授，如此則朕採擇有資，既可爲萬幾之助，而條奏之人，其識見心胸，朕亦可觀其大略矣。再翰林讀講以下，編檢以上，從前曾蒙皇考特旨，令其條奏，不在輪班之列，今若確有所見，亦准隨時封奏。」（註一）滿漢文武大臣遵旨敬陳「管見」，以爲朝廷施政的參考，奏摺進呈御覽後，俱發下總理事務王大臣議奏。其中滿文條奏檔計約八十餘件，具奏人包括宗人府衙門稽查事務監察御史宗室塞魯（dzung žin fu yamun i baita be baicara, baicame tuwara hafan uksun seru）等六十餘人，除少數部院文職人員外，大多數爲八旗武職人員；漢文條奏檔計約二百餘件，具奏人包括大學士朱軾等一百餘人，除少數漢軍旗都統、副都統外，大多數爲部院大臣。

滿文條奏檔因以滿文書寫，故不失爲研究清初滿文的珍貴語文資料，例如漢文「爲敬陳管見事」一語，滿文原摺或作「ser sere saha babe tucibume gingguleme wesimbure jalin」，或作「majige saha babe tucibume gingguleme wesimbure jalin」，或作「heni saha babe gingguleme tucibume wesimbure jalin」，或作「heni majige saha babe gingguleme tucibure jalin」，或作「majige saha babe tucibufi wesimbure jalin」，或作「majige saha babe gingguleme tucibufi wesimbure jalin」。前引各句中對「管見」的表達方式不同，而且tucibume與tucibufi 的用法亦略異。又如漢文「馬跲痩」一詞，新滿文應讀如「yali jokson」，但鑲白蒙古旗副都統官保（kubuhe šanggiyan i monggo gūsai meiren i janggin guwamboo）原摺却作「yali joksun」。漢文「抵罪」一詞，新滿文應讀如「weile de fangkabumbi」，宗人府衙門稽查事務監察御史宗室塞魯原摺則作「weile de fanggabumbi」。品級較高的官員，新滿文應讀如「ambakasi hafan」，正黃蒙古旗副都統塞爾登（gulu suwayan i monggo gusai meiren i janggin selden）原摺則作「ambagasi hafan」。漢文「殺淨了」一詞，新滿文應讀如「gisabume waha」，鑲紅滿洲旗副都統阿克敦（kubuhe fulgiyan i manju gūsai meiren i janggin akdun）原摺則作「gisebume waha」。在各例中「ka」與「ga」，「sa」與「se」的發音略爲不同，可供探討滿洲語文的參考。

條奏檔所指陳的內容，具有極高的史料價值，涉及的範圍頗爲廣泛，舉凡滿洲漢化、八旗生計、旗員陞遷，以及財政經濟等方面的資料，俱有助於清史的研究，其中關於旗務問題的檢討，尤爲詳盡。清高宗即位後曾指出八旗大臣辦理旗務，錯謬之處甚多，輕視公務，以至於旗務廢弛。易言之，條奏檔也可說是檢討世宗朝施政得失的重要資料。雍正十三年十一月初五日，宗人府衙門稽查事務監察御史奉恩將軍宗室都隆額（dzung žin fu yamun i baita be baicara, baicame tuwara hafan, kesi be tuwakiyara janggin, uksun durungge）條陳時指出旗民風俗日益澆漓，定例子女居喪期間不得嫁娶，但旗民中有因父母疾篤，慮喪服之後不能成婚，而於數日內擇定吉日，匆促趕辦喜事者。又有因父母去世，於殯殮之前，將喪事暫時延後，先行嫁娶者。都隆額於原摺內稱「ere tacin, daci nikan ujen coohai urse ci deribuhengge, te manju sa inu alhūdame yaburengge bi.」意即「此種習俗，原始自漢軍旗之人，今滿洲們亦有效法者。」（註二）爲正人倫，端正風俗，都隆額奏請通飭八旗於喪事期間，嚴禁嫁娶。巡視東城翰林院侍讀學士，兼掌京畿道事監察御史石介亦奏稱「臣雖旗人，自幼隨父母鄉居二十餘年，見直隸地方紳衿居民時有當父母或祖父母既歿之後，未卜送葬時日，預選婚娶良辰。至期，孝裔新婦俱著吉服，成夫婦禮，名曰孝裏服，鄉鄰親友猶群相稱慶，以爲克全大事焉。聞南直亦有此惡習，名曰成凶。數年來，外城居民以及八旗無知輩竟有從而傚尤者。」（註三）是月初十日，高宗頒諭飭令居喪禁止嫁娶，自齒朝之士，下逮門內有生監者，三年之喪，終喪不得嫁娶，違者奪爵褫服。

滿洲在入關前，其文化方面的發展已極迅速，滿文的創製與八旗制度的建立就是想創造適合於滿洲社會的文化成分（註四）。但由於滿洲文化的力量居於劣勢，始終處於漢族文化的寄生狀態之下。因此，滿洲在軍事方面雖征服漢族，然而其文化終爲漢族所同化。清初由於八旗生齒日繁，錢糧短缺，一方面爲提供兵源，一方面爲解決旗人的生計問題，故特重養育兵（hūwašabure cooha）的教育訓練。護軍營、前鋒營俱爲八旗精銳營，其兵源卽由養育兵內抽調。這些養育兵是八旗滿洲、蒙古、漢軍的幼年子弟，揀選其中身材較魁梧者爲養育兵，此外亦揀選寡婦幼童及無錢糧的孤兒。養育兵每人各吃錢糧三兩，不必當差，由各旗派出參領（jalan i janggin）、閑散官（sula hafan）、驍騎校（funde bošokū）負責教導騎射及滿洲語。清初滿洲老人仍相傳滿洲兵若滿三百則所向無敵，其原因就是由於滿洲長於騎射。平日練習射箭，命中率較高，騎射出衆者，賞給銀兩。但因承平日久，年少旗人多忘根本，只求弓箭強大，外型美觀，姿態好看，命中率却不高。輪班射擊時，箭靶使用二三次，仍未損壞，完整的帶回。大理寺少卿巴德保（dai li sy yamun i ilhi hafan badeboo ） 具摺指出這些惡習是由於倣效漢教習所致。內閣侍讀學士佟濟（dorgi yamun i adaha bithei da tungji）亦奏稱旗人多染漢人惡習，騎射時並不騎自己的馬匹，常租用馬匹，收馬放馬，未經嚴格訓練，回頭就跑。清初諸帝雖然三令五申，飭諭滿人使用滿洲語文，以守本習。但皇帝本人在訓諭中動輒長篇累牘的引用漢人經典，以曉諭滿人，漢化的潮流，已難遏阻。清世宗披閱滿文奏摺時，往往以漢文批諭，例如雍正二年四月十八日，撫遠大將軍年羹堯奏聞達賴喇嘛遣使一摺，原件爲滿文奏摺，世宗以漢文批諭云「剌麻和尚道士就是此一種婦人之仁，不論是非四字，回得甚好。但西藏備萬餘兵拒捕羅卜藏丹盡，今又替他討饒恕，朕略不解，依你看來，他們是什麼主意，來人光景如何？丹盡若逃往藏，他們如何區處，可將乞寬來字翻譯的閑帶來看看。」（註五）漢軍旗的奏摺（wesimbure jedz）、綠頭牌（niowanggiyan uju），例應以滿文書寫，但在雍正年間多已改用漢字。雍正十三年十一月十四日，正紅漢軍旗副都統巴什（gulu fulgiyan i ujen coohai gūsai meiren ĩ janggin baši）條陳時曾指出奏摺、綠頭牌若仍書寫漢字，日久之後，漢軍旗人學習滿洲語文者，必漸稀少，以至於不諳滿洲禮法。故奏請飭令八漢軍旗所有奏摺、綠頭牌仍照舊例書寫滿字，一方面使漢軍旗人各自得以學習滿洲語文，效法滿洲禮法；一方面八旗奏事亦可畫一。天聰初年，漢人日衆，清太宗爲緩和滿洲社會內部的不安，借重漢人的政治經驗，推行中央集權政策，而於天聰四年（一六三〇），將漢官漢民自滿洲大臣家中拔出，另成漢軍旗（註六）。但由於漢軍旗的成立，更加速了滿洲的漢化，漢軍旗遂成爲滿洲漢化的催化劑。滿洲固然深染漢習，蒙古亦然，清聖祖有鑒於此，特將清文鑑（manju gisun i buleku bithe）一書譯出蒙文，付刻印刷，頒給外蒙古扎薩克及八旗各學塾。雍正十三年十一月十三日，內閣侍讀學士舒魯克（dorgi yamun i adaha bithei da suluk）具摺指出八旗蒙古生長於京師的年輕子弟，多忘根本，能說蒙古話者已甚少。舒魯克指出清文鑑書板仍存武英殿，請飭令八旗若有情願刷印滿蒙文合璧清文鑑之人，可預領紙墨租金刷印，俾對有志於學習蒙古語文者有所裨益。各部院衙門筆帖式，定例三年舉行一次繙譯考試，其中漢軍筆帖式不能繙譯者，令其離職，考列頭等者，以中書補用。滿洲、蒙古筆帖式內不能繙譯者，令其離職，列入頭等者，並無獎勵條例，以致考試優異者，因無晉陞之途，故不重視滿蒙語文。雍正十三年十一月初九日，監察御史、佐領明圖（mingtu）奏請嗣後滿洲、蒙古筆帖式不能繙譯者，除照舊令其離職以外，其考入頭等無品級的筆帖式，給與品級，已有品級的筆帖式，亦照漢軍筆帖式之例，給與晉陞之途，卽以中書補用。據清高宗指出當時繙譯多不能順滿文會意，按照滿文本義繙譯。清高宗提倡及維護滿洲語文不遺餘力，曾經屢頒諭旨，繙譯滿文必順滿文會意，不得捨滿文語氣，因循漢文繙譯。各部院會奏事件，多繕寫滿漢合璧摺，但雍正三年以降，此類奏摺已屬罕見，各部院爲圖簡便，僅書寫漢文，不復譯出滿文。雍正十三年十月，清高宗頒諭云「從前當皇考元年二年間，各部院奏事，俱兼清漢文，近見祇用漢文者甚多，著諭各部院嗣後凡奏事，俱兼清漢文具奏。」（註七）惟終高宗一朝，不僅滿漢合璧摺罕見，卽滿文奏摺件數亦少。乾隆五十二年（一七八七）十一月，據喀寧阿等奏稱考試八旗各處滿洲敎習，在進呈試卷內，所繙「風俗」字樣，俱繙作「安科禮」（an kooli）。清高宗指出其繙清雖照舊定成語，但初定成語時已失字意。因久行不易者，稱爲「科禮」（kooli），隨時成習者，稱爲風俗。因此，漢文「風俗」字樣應繙作「格掄尼塔親」（geren i tacin）。

滿洲入關之初，各人頗有家產，但因年久，丁口蕃衍衆多，一戶分爲數戶，又再嫁娶，生計日艱。而且旗民受朝廷豢育，不思衣食所自來，競尚奢華，爭習僭侈，器用服飾稍不精麗，無不深以爲恥，每月所得錢糧米石，耗費殆盡，及至家計窘迫，父母妻子多有凍餒者，不得不將家產田地以賤價出售或典押，其生活遂更不如昔日，志衰氣靡，無心習練技藝。考其原因，一方面是由於生齒日繁，一方面則因俗尚奢侈所致。雍正十三年十二月初五日，正藍蒙古旗都統宗室塞貝（gulu lamun i monggo gūsai gūsa be kadalara amban uksun sebei）具摺指出滿洲家奴（booi ahasi）跟隨其主人年久，侵蝕銀財，將滿洲出售或典押的田地，以賤價購買，而擁有廣大產業，家奴因多置產業，以致僭越鑽營，仗勢滋事，滿洲家產却傾蕩殆盡（註八）。旗員向倚錢糧爲生，其中八旗護軍校（juwan i da）、驍騎校（funde bošokū）多由兵丁出身，家中鮮有蓄積，僅仰賴一人的俸祿（funglu），上當官差，下贍家口。此二項微員應領俸祿，每年分春秋二季支領，雍正十年三月，和碩果親王奏請依照兵丁之例，按月關領，每月得銀五兩。但每年分爲十二次發放，逢閏月時則無俸祿可領，生活遂無以爲繼。雍正十三年十一月十九日，鑲白蒙古旗副都統鄂齊爾（kubuhe šanggiyan i monggo gūsai meiren i janggin ocir）奏請嗣後每三年逢二次閏月時，護軍校、驍騎校各增給一個月俸祿，全年領十三個月俸祿。

各部院衙門學習行走的候缺筆帖式是由八旗前鋒、護軍、領催及拜唐阿（baitangga）在當差吃錢糧時經由繙譯考試後所錄取的舉人、秀才、監生。但前鋒、護軍、領催分發各部院衙門以後，並無俸祿，其原來所吃的錢糧米石却被裁去，不再支給。每月僅照部院筆帖式之例，支給一兩公費，以致窮苦難度。雍正十三年十二月初五日，正藍蒙古旗都統宗室塞貝（sebei）奏陳吃錢糧的拜唐阿等經繙譯考試分發各部院學習行走後，請仍准其吃原來的錢糧米石，俟補得筆帖式正缺後，再將其原吃的錢糧米石裁去。

從條奏檔內滿漢文武大臣所指陳的旗務問題，可以看出八旗武職人員的陞遷，辦理頗不一致，亦多不合理之處。例如八旗滿洲蒙古每旗除甲喇章京（jalan i janggin）、副甲喇章京（ilhi jalan i janggin）各定爲五人以外，其委甲喇章京（araha jalan i janggin）亦定爲五人，甲喇章京出缺時，由副甲喇章京內揀選補放，副甲喇章京出缺時，由委甲喇章京內揀選補放。然而漢軍旗（ujen coohai gūsa）只有正副甲喇章京各五人，並無委甲喇章京，當漢軍旗副甲喇章京出缺時，即以閑散官（sula hafan）、驍騎校（funde bošokū）內揀選補放。惟閑散官、驍騎校品級既低，又未曾管理甲喇事務，補放爲副甲喇章京後，因缺乏經驗，絲毫不能辦事。雍正十三年十月初三日，鑲黃滿洲旗都統查爾泰（kubuhe suwayan i manju gūsai gūsa be kadalara amban jartai）具摺指出副甲喇章京爲正四品，閑散官、驍騎校補放爲副甲喇章京是躐等晉陞，故奏請於漢軍旗內亦照滿洲蒙古旗設置委甲喇章京五人，應於閑散官、驍騎校內揀選補放，暫定爲五品銜，副甲喇章京出缺時，即由委甲喇章京內揀選補放。在前鋒營內置八旗前鋒章京（gabsihiyan i janggin）、前鋒侍衛（gabsihiyan i hiya）各十六員，前鋒章京出缺時，俱由護軍甲喇章京（jalan i janggin）內遴選補放，前鋒侍衞出缺時，則揀選副護軍章京、前鋒護軍校（gabsihiyan i juwan i da ）奏請補放。前鋒侍衞爲第五品，雍正十二年，定副護軍章京爲第四品，嗣後前鋒侍衞出缺時，副護軍章京停止遴選補放。但據右司前鋒章京桑格（sangge）指出前鋒侍衞雖爲五品，但有管理一旗之職，與護軍章京同樣領取御前馬甲（gocika uksin）錢糧三兩，副護軍章京只領二兩。因此，桑格奏請前鋒侍衞出缺時，仍開列副護軍章京之名，帶領引見，領取三兩錢糧。護軍章京、護軍校皆有管理甲喇牛彔、護軍及教導騎射之責。八旗護軍營（bayarai kuwaran ） 的護軍章京、護軍校出缺時，由本旗選出應陞護軍統領（tui janggin） 補放。各翼四旗彙齊甄選後連同八旗應補護軍章京、護軍校各缺所揀選的人員一併彙集繕寫在同一摺子內，於奏請補放之日，一次補放，頗需時日，要缺虛懸，有碍旗務。雍正十三年十一月初三日，正白旗護軍甲喇章京西圖庫（bayarai jalan i janggin situku ）奏請嗣後護軍章京、護軍校出缺時，或定一月，或定二月期限內彙齊後卽奏請補放，不必俟八旗各缺彙齊限一次補放。八旗世襲各官出缺後，俱於年終將八旗摺子家譜一律對照後始一次彙奏承襲。惟俟至年終，世襲官出缺各旗爲數甚多，以致在旗差行走的承襲官卽因此減少，出缺之家亦暫時得不到俸祿。向例八旗世襲牛彔章京承襲官亦俟年終奏請補放，雍正十一年，訥親（neci ） 以牛彔章京辦理牛彔事務，職責重要，不可久懸，故奏准由各該旗辦妥後卽奏請補放。雍正十三年十一月十六日，鑲白滿洲旗甲喇章京都依齊（kubuhe šanggiyan i manju gūsai jalan i janggin duici ）奏請八旗世襲官出缺時亦比照牛彔章京承襲之例，將八旗有摺子家譜的世襲官由該旗辦妥後卽行奏請承襲，如此世襲官可及時得到俸祿，且在旗差上行走之員亦可增多。總理事務王大臣議覆時亦指出八旗世襲官雖非牛彔章京可比，惟懸缺甚多，應照都依齊所奏，嗣後停止世襲官候至年終會奏之例，由各該旗於辦妥後卽行奏請承襲。八旗武職人員，自兵丁領催上至官弁一應補放揀選俱以弓馬定其優劣，向例各省駐防漢軍每遇缺出，該將軍於應陞人員內揀選一人擬正，咨送漢軍旗，該旗揀選一人擬陪，引見補放。自雍正元年以後，僅奉天仍照舊例辦理，其餘西安、京口、杭州、廣州、福州等處，凡防禦、驍騎校員缺俱由該將軍預行揀選題補，每次揀選領催、驍騎校名數多寡不等，預行咨部帶領引見，分別等次記名交與該將軍遇有驍騎校、防禦缺出題補。惟據正白旗漢軍左司掌關防參領金珩具摺指出其中題補先後有候至二三年者，有遲至七八年者，更有自領催既得題補驍騎校，旋遇防禦缺出，並不論其已滿三年或未滿三年之員，概不送部引見，復行題補防禦。旗員既經揀選，以爲題補有期，不以弓馬爲事，而未經揀選之人，則以爲各缺題補有人，懶於學習騎射，因此，金珩奏請各省駐防驍騎校、防禦缺出時仍遵向例辦理（註九）。

清初勳舊佐領（fujun niru）及世管佐領（jalan halame bošoho）的驍騎校皆辦理本牛彔的事務，其後恐驍騎校逢迎牛彔章京（nirui janggin），而將驍騎校全部改調到異姓勳舊佐領及世管佐領內辦事，因其不諳牛彔的根由，對於辦理牛彔事務實無裨益。雍正十三年十一月十四日，正紅漢軍旗副都統巴什（gulu fulgiyan i ujen coohai gūsai meiren i janggin baši）奏請將被調出的驍騎校仍令其回到本牛彔辦事。由於八旗牛彔的異動，日久以後，遂有不明其根由者。凡有不明的牛彔皆須查看內閣收藏的實錄，始能得悉其根由。太僕寺衙門少卿定柱（dingju）指出查看牛彔之事，皆始自天命（abkai fulingga）元年至崇德（wesihun erdemungge）八年。舊例規定查閱實錄時應由該旗大臣率領甲喇各官、領催（bošokū）、馬甲（uksin）前往內閣詳查實錄，惟因實錄關係重大，外人不許閱看，故巴什奏請乘當時整理實錄之便，飭令內閣將所有牛彔根由，按年月日逐件查明，另立檔冊，嗣後查閱牛彔之事時，僅需調閱牛彔檔冊即可。雍正十三年十月十八日，和碩莊親王允祿（hošoi tob cin wang yūn lu）指出滿洲八旗皆有收貯抄寫的實錄，八旗承襲官爵發生爭執及查明牛彔根由時，俱以實錄為依據。惟因各旗查閱實錄時，旗上人員衆多，不免洩露，甚至有無知之輩，乘查閱檔冊之便，見有與其祖先名字相似者，即行記下，橫生枝節，爭索互控，堅持不讓。因旗上無法決斷，仍須行文內閣查閱實錄及無圈點檔冊，或行文戶兵各部查閱舊檔。易言之，八旗所收貯抄寫的實錄，並無益處，徒生爭執。因此，允祿奏請將八旗所收貯的實錄俱送交內閣，嗣後八旗若有應查事件，即循舊例行文內閣查閱實錄及無圈點檔冊（註一〇）。允祿所指無圈點檔（tongki fuka akū dangse）應即為舊滿洲檔，由此亦可知實錄、舊滿洲檔的功用及其重要性。

條奏檔內所含財政經濟史料亦極重要，例如臣工對耗羨歸公的意見，頗值重視。耗羨是正賦以外所徵收的一種附加稅，內含米耗即鼠耗、雀耗以及火耗等項，米耗起源較早，火耗似起源於徵銀以後，至遲在明代已有火耗（註一一）。元寶銀是秤量貨幣，而非計數貨幣，本色折銀鎔銷改鑄時，不無折耗，而輾轉解送，在在需費，州縣徵收錢糧時遂於正項之外稍取盈餘，以補折耗之數（註一二）。銀色優劣有差等，最佳者為足色紋銀，不良銀色，徵收鎔鑄時損耗更多。其初僅限於不良銀色徵收火耗，後來相沿成例，折銀交納時一律徵收附加稅。民間完糧，多為小錠碎銀，州縣必須傾鎔，有火則必有耗。其提解赴司，又有平頭脚費，沿路盤纏，俱由納稅者負擔。清初課稅方針，極力避免增加正賦，州縣遂藉口種種名目，公然加添重耗，火耗病民由斯而起。清世宗御極之初，財政上困難重重，直省庫帑虧空纍纍，上司津貼取資於下屬，州縣侵用耗羨，上司索取無窮，州縣巧於逢迎，加派百姓，上下相蒙，地方吏治，積弊叢生。雍正二年（一七二四），世宗正式准許將提解耗羨合法化以後，遂以通省耗羨定為通省養廉、彌補虧空及各項公用等，上既不累官，下亦不擾民，堪稱兩便。一省之中不能無公費，各官不能無養廉，故提解耗羨為實際需要。耗羨歸公以後，各省虧空逐年清理完補，督撫藩臬等員的養廉俱由耗羨內支給，餽贈陋弊漸漸革除，道府州縣各員養廉銀兩，亦無多寡不均之患，遇有公事亦可取給於耗羨，既免攤派，於地方公事，亦不致貽誤，對整飭地方吏治頗有裨益。但所謂耗羨歸公，乃是將耗羨提解司庫，以備地方臨時需用，不同於正項，更不可撥解中央（註一三）。易言之，耗羨歸公的公是指「地方之公用，乃私用之公用，非國家之公用。」（註一四）而且提解耗羨原為一時權宜之計，世宗初意亦欲俟虧空清完後即停止提解。但直省奉行數年以後，頗有裨益，紛紛奏請照舊提解，毋庸提解，嗣後提解耗羨遂成定例。世宗提解耗羨，原期有益於國計民生，同時為朝廷與百姓設想，府庫充裕之後，即可議減耗羨。然而督撫中若有議減火耗者，又不免遭受嚴斥。州縣以養廉微薄，私侵火耗，地方紳衿包攬錢糧，暗徵重耗，百姓額外負擔並未輕減。耗羨提解既久，遂漸同正項，州縣胥役重複徵收，於耗羨之外又增耗羨，養廉之中又私取養廉。雍正十三年十一月二十日，詹事府少詹事許王猷條陳時指出雍正年間提解耗羡之流弊云「夫州縣之有耗羡也，緣州縣徵解錢糧其平色傾銷必有折耗，解司解部必有路費，於是乎有耗羡之名。州縣之廉潔者，不藉是以肥己則取之甚輕，其有重耗者，督撫即列以款而糾參之，誠以耗羡乃私項而非公項也。自後相沿成例，日漸加增，至有加一加二加三之不等，州縣以之飽私囊餽上官，上下相蒙，公行無忌，山西巡撫諾岷、河南巡撫田文鏡遂有提解耗羡之請，以爲取州縣之私囊作公共之養廉，陋規既除，公事可辦，似無累於民生而有益於國計，一時廷臣議准所請，各省遵行在案。獨是耗羡未經提解之時則爲私項，小民尚望有輕減之一日，既經提解，便屬公項，小民永難望一毫之減少。況乎平色傾銷及解費等項，仍有折耗，州縣必不肯以己之養廉代爲賠墊，勢不得不暗加之小民，雖有委員拆封及同城官公同拆封之例，總屬虛文，徒滋煩擾。初行之時或以功令森嚴，不敢驟爲加重，今行之數年，已漸漸加增矣，將行之既久，勢必又如前此之相沿成例，而公行無忌，在百姓無可告訴，惟有竭蹶奉公，以免追呼。」（註二五）質言之，耗羡歸公固爲世宗整理財政中顯著成就之一，然而利弊相循，行之數年，積漸而成擾民之政，雖有益於國計，惟其加累於小民者亦甚鉅。

在條奏檔內亦含有極豐富的錢法史料，足供探討清初的貨幣制度，於考察當時社會經濟的發展，頗有裨益。有清一代的幣制，是屬於一種銀錢並用的雙本位制度（註二六），銀錢兼權，亦即「銀與錢相爲表裏，以錢輔銀，亦以銀權錢，二者不容畸重。」銀有元寶、中錠、小錁、福珠及銀條、碎銀等種類。其中元寶是以大條銀或碎銀鑄成，形似馬蹄，俗稱馬蹄銀，又稱紋銀，適用於大宗貿易。但嚴格而言，銀以兩計，祇是一種秤量單位，尙非眞正的貨幣。在貨幣中流通最廣，爲民生日用所不可或缺者則爲錢，這是一種以文計算的計數貨幣。其幣材主要爲黃銅，惟其形式、文字、重量、成色都有定制，由官方設局鼓鑄，故稱爲制錢。銀兩與銅錢雖然同時流通，但兩者相互之間並沒有一定的法定價值聯系，所以是不完整的銀錢平行本位制度。清初銀錢的比價，大致而言是以紋銀一兩兌換制錢一千文爲標準，若其兌換制錢之數，在一千文以上時，即發生銀貴錢賤的現象，反之，即發生銀賤錢貴的現象（註一七）。清太祖時期初鑄「天命通寶」，以滿漢文別爲二品，太宗因之，鑄「天聰通寶」，滿文作「淑勒汗之錢」（sure han ni jiha）。世祖順治元年（一六四四），於戶部置寶泉局，工部置寶源局，分鑄「順治通寶」，每文重量爲一錢。次年，改鑄一錢二分。順治十四年，加至一錢四分。順治十八年三月，聖祖即位後，以各省滿漢字新錢鑄造無多，舊鑄厘字制錢，暫准行使二年後收燬，以便小民貿易。是時由於錢法漸弛，鼓鑄收銅，滋生弊端，以致制錢日少，錢價昂貴，百姓甚感不便。康熙十八年（一六七九）九月，聖祖一面命戶、工等部整頓弊端，定議具奏；一面命各部院衙門將所有廢銅、器皿、毀壞銅鐘，及直隸各省所存廢棄紅衣大小銅礮等盡行解部鼓鑄。

清末宣宗道光年間，由於紋銀大量外流，而發生銀貴錢賤的現象。在道光初年，紋銀每兩尙可兌換制錢一千二百文，至道光十八、九年，銀價騰貴，每兩易制錢一千六百文，較前增加四百文。至道光二十五年，京師銀每兩竟易制錢二千文，各省所易制錢多達二千三、四百文。其主要原因是受鴉片輸入、國際貿易、制錢實質減輕、制錢私鑄、紋銀積蓄、銅產發達等因素的影響，終於造成道光末年的嚴重銀荒（註一八）。然而清朝初年社會經濟方面最嚴重的問題，却是銀賤錢貴，與道光年間的銀貴錢賤的情形恰恰相反。按向例每錢一串，值銀一兩，但至康熙二十三年每銀一兩，僅易制錢八九百文，錢日少而價日昂，其主要原因實由於「奸民」燬錢作銅牟利所致。當時銀一兩僅買銅七觔有餘，若燬錢一串，却可得銅八觔十二兩，有利可圖。同年七月，管理錢法侍郎陳廷敬奏請改鑄稍輕制錢，每錢約重一錢，如此，燬錢爲銅，既無厚利，則燬錢之弊不禁自絕，錢價可平。聖祖准其所請，將大制錢改鑄重一錢。錢式改小固易，但錢價低賤，諸物騰貴。康熙三十六年，田禾大有，而米價高昂，卽因錢輕價賤，所以米貴。康熙四十一年十月，大學士會同九卿議准仍鑄大錢，重一錢四分，停止鼓鑄小錢，惟錢重價昂，銷燬盛行，錢貴如故。康熙六十一年十一月，世宗卽位後，大學士等奏頒雍正年號錢文式樣，惟是時錢價騰貴，故如何平抑錢價，方爲當前急務。世宗有鑒於此，乃令總理事務王大臣九卿等公同會議具奏，旋經議准於雲南、四川兩省設爐鼓鑄。是年十二月，戶部議奏，雲南鑄錢，錢上滿字，鑄雲泉字樣，京城二局則係寶泉、寶源字樣。因錢爲國寶，世宗又降旨，將雲南鑄錢滿字，鑄「寶雲」、四川鑄「寶川」，其餘各省俱將「寶」字爲首，次將本省字樣鼓鑄。京師錢局，每年鼓鑄，制錢雖尚不至於缺乏，但各省未能流布，民用不敷。世宗指出其癥結，主要爲私鑄盛行，將制錢暗行銷燬，以致不能遠近流通。雍正三年五月，世宗命直隸及各省督撫申飭地方官密訪查拏，嚴行禁止。雍正四年正月，陝西道監察御史覺羅勒因特指出私燬不絕制錢日少的原因，是因當時大制錢，每文仍重一錢四分，以銀一兩，可易大錢八百四五十文，約重七斤有餘，製造銅器，却可賣銀二三兩，其中如烟袋一物，雖屬微小，然而用者多，銷路廣，燬錢十文，製成烟袋一具，售價值百文有餘，奸民可圖十倍之利，安得不爭相銷燬大錢。因此，覺羅勒因特奏請飭令步軍統領、五城、順天府嚴行禁止。戶部衙門議覆稱「康熙十八年已嚴銅器之禁，三十六年又定失察銷燬制錢處分之例，而弊仍未除者，以但禁未造之銅，其已成者置之不議也。臣等酌議，欲杜銷燬制錢之源，惟在嚴立黃銅器皿之禁，今請紅白銅器，仍照常行用，其黃銅所鑄，除樂器、軍器、天平法馬、戥子及五斤以下之圓鏡不禁外，其餘不論大小器物，俱不得用黃銅鑄造，其已成者，俱作廢銅交官，估價給值。儻再有置造者，照違例造禁物律治罪，失察官員，及買用之人，亦照例議處，則私燬之弊可息，而於錢法亦有裨益。」（註一九）「順治通寶」已定制以紅銅七成，白鉛三成搭配即黃銅鼓鑄而成，清廷但禁用黃銅器，不禁民間使用純銅，即紅銅器皿。是年九月，為永杜燬錢製器弊端，復降諭內閣，除三品以上官員准用銅器外，其餘人等不得使用黃銅器皿，定期三年，令將所有黃銅器皿，悉行報出，官給應得之價，如係旗人，則於本旗交官領價，漢官民人，則於五城交官領價，不論輕重多寡，隨便收買，違者重處。

清初民間私燬制錢，減少制錢流通數量，以致錢價昂貴，此與道光年間紋銀外流導致銀荒，其情形極其相似。清初黃銅器皿，價值昂貴，奸民遂銷燬制錢，以製造器皿。世宗洞悉其弊，於是一方面不准各處舖戶人等添造黃銅器皿，一方面復將民間所用黃銅器皿，俱給價收買，以杜銷燬之源，並將收買的黃銅用來鼓鑄，以增加制錢數量。世宗認為民間器皿，並非必定需用黃銅製造，有力之家，可以白銅、紅銅、鉛、錫代替，無力之家，則可使用價廉工省的木器、磁器。易言之，世宗希望民間與朝廷合作，踴躍急公，亦可見世宗爲制錢籌畫，宵旰焦勞，委曲周詳。但畢竟因官價過低，雖經地方官嚴催，人民並不肯卽行交納，甚至有遷移隱匿者。雍正五年四月，步軍統領阿齊圖竟於京師崇文門外，拏獲銷燬制錢的奸徒。近在輦轂，尚且如此，則鄉邑偏僻地方不問可知。是年九月，據奏各處督撫所駐省城銅器舖戶，鑄造黃銅器皿者仍不乏其人。世宗雖曾斟酌三品以上官員許用黃銅器皿，惟鑒於濫用者甚多，乃降旨一品官員許用黃銅器皿，其餘概行禁止。雍正九年七月，因京師錢價益昂，世宗飭令戶部議奏，戶部遵旨議覆應行應革事宜，所有將制錢販運出京及囤積居奇者，嚴行拏究，大小舖戶賤買貴賣多藏堆積長短錢，亦嚴行查禁，並令五城各廠發糶米石，所得錢文，發於各錢舖，照定價九百五十文兌換。自康熙四十一年復鑄重一錢四分制錢以來，至世宗卽位之後，繼續通行使用，惟因銅價騰貴，以致工本愈重，寶泉、寶源二局所鑄錢文，歲計虧折工本約銀三十萬兩之多。雍正十一年十一月，世宗以錢重銅多，徒滋銷燬，跴緝不易，故令仍照順治二年例，每文鑄重一錢二分。總之，錢重則私銷盛行，錢輕則私鑄猖獗，世宗解決錢貴問題的方法，但求如何因時制宜權衡得中，欲使銷燬者無利，而私鑄者亦不易，惟其結果仍無法杜絕私鑄之源，錢貴如故。

陳昭南氏著「雍正乾隆年間的銀錢比價變動」一書曾指出「雍正到乾隆中葉這段期間，錢價之所以昂貴，是因爲制錢的供給不足；而制錢供給量之所以不足，則由於工業用銅的不足。歸根究底，這段期間錢價之所以昂貴，是因爲全國銅供給量不足以滿足全社會的需要——包括貨幣用途和工業用途的需要——而引起的。」（註二〇）清初工業用銅固然有欠充裕，惟其產量若用於鼓鑄制錢，實足以供應當時社會的流通需求，因此，制錢不足的癥結，仍在銷燬囤積以圖厚利的問題上，清廷嚴禁民間使用黃銅器，而仍准其使用紅銅器皿，即是有力證據。陳氏於同書中亦稱制錢不足，是促使銀錢比價昂貴的直接原因，因爲在這段期間，制錢的鑄造量爲數不少。京師戶、工兩局自康熙元年至十四年，每年約鑄三十萬串，雍正九年一年所鑄竟超過一百萬串。雍正十三年十月初八日，管理山西道事務監察御史七格（sansi doo i baita be kadalara. baicame tuwara hafan cige）條陳時略謂「伏思制錢者，國之寶，天下兵民皆倚以爲生，錢銀價值應令平穩。臣我爲令五城錢價平穩，曾出告示，嚴令執行，惟京城錢價仍未下跌，一兩之銀，僅兌換八百四十制錢。臣愚以爲，嗣後除五城照常禁止以外，可否將五城售糧局廠所賣陸續交庫折錢交由該城衆官，其所賣之錢以公平價格兌換銀兩，按期限將銀交庫。又查八旗兵每月支給錢糧一分或二分不等，得錢以後，於應支餉之月給錢一分者，即增給一分，而支給二分錢，於應支餉之月，給錢二三分者，亦增加一分，而支給三四分錢，則錢價自然平穩，於兵民實多益處，臣我儘就所知，敬陳管見，應否可行之處，仰祈聖主明鑒，交部妥議，爲此謹奏。」（註二二）銀一兩，僅易制錢八百四十文，銀賤錢貴的情形已極嚴重。同年十月二十一日，正白滿洲旗副都統偏圖於「敬陳管見」一摺中，首先指出順治年間舊錢，至康熙末年仍流通行使，但康熙末年所鑄制錢，於雍正十三年之間，竟不見於市面，其主要原因仍在銷燬制錢以鍍煙袋等物，而且世宗頒旨嚴禁使用黃銅器皿，惟未禁止收貯黃銅，遂啓銷燬制錢的弊端，其原摺略謂「竊思所謂錢者，國之寶，若其充裕，於衆人生活有益，因此禁用黃銅器皿，捉拏將制錢暗行銷燬之人，每月頒給制錢，惟錢並不寬裕，錢價並不便宜。將此細加思考，康熙五十幾年以前所用之錢內，仍雜有順治年間之錢。現在所用錢內，數百錢之中竟不見一二枚康熙年間之錢。順治十八年所鑄之錢，至康熙四十五十年仍存在，康熙六十一年所鑄之錢，於此十三年中間，幾已無存。詳察其事，竊思仍有暗行銷燬制錢者亦未可定，惟不知何人暗行銷燬。奴才我為採查其事，差人購買吃煙銅袋。雜銅一袋內用制錢三十三枚，此三十三枚錢之重量為四兩二錢，一袋之重量為一兩五分，因袋之顏色不如錢，賣一袋若將錢銷燬則可鍍四袋，因此或有暗行銷燬制錢鍍袋圖利之惡徒。況且無私人賣銅者，而出售鍍袋之商舖懸掛所賣煙袋竟多達成百成千。每舖許多人每日工作不息，其銅並未斷絕，細思之，不可謂其無緣故。將制錢暗行銷燬，雖曾頒大禁令，惟甚難捉拏。因未鎔燬之前係錢，不可捉拏，燬壞之後復為銅，亦不可捉拏，惟當鎔化之際，以及尚未鎔完以前，可以捉拏。若在屋內夜間秘密鎔化，則轉瞬之間，百串制錢即無痕迹。若其黨夥內不自行出首，實難拏獲。臣我細思，吃煙之事，無益於飢渴冷暖，惟衆人皆成習慣，亦不便概行禁止。臣我懇請自京城至各省，將吃煙之袋皆不准鍍銅，或改用紅銅鐵，或改用銀，永遠禁止使用黃銅袋。自公佈禁令日起限期三月，將現有黃銅袋飭令所屬各員儘速查收，其所獲者陸續解繳錢幣局，將黃銅價值由鑄錢局另給錢幣。若復鍍銅袋，即照銷燬制錢律例定罪，使用黃銅袋之人，即照使用黃銅物件律例定罪，如此禁止，暗行銷燬制錢之人，似易查拏。奴才粗陋寡聞，謹此奏聞，應否可行之處懇請聖主明鑒。」（註二二）十二月二十八日，戶部左侍郎仍管三庫署理兵部侍郎李紱於「請清銷燬制錢之源以重國寶以平錢價事」一摺中亦奏稱：「本年十一月二十六日欽奉上諭，嚴禁奸徒銷燬制錢，以康熙錢文稀少為銷燬之證，此誠我皇上至聖至明灼見弊源，確然而無可疑者也，但嚴禁銷燬之令屢下而奸徒之銷燬如故者，固由有司奉行不力，亦由銷燬之弊，難於查捕，非若私鑄者之廣聚徒衆，有爐有器，一捕而卽得也。錢文入銅舖之爐卽化爲銅，未化之前原係制錢，不可得而捕也，旣化之後，已成廢銅，又不可得而捕也，惟禁斷打造銅器之舖則銷燬亦無所用，而銷燬之弊不禁而自除矣。今現在功令亦旣嚴禁打造黃銅器皿而銷燬公行，錢價不平者，止禁黃銅，未禁白銅與紅銅也。議者以白銅非制錢所用，不知今之所謂白銅皆黃銅也，議者以紅銅非制錢所化，不知今之所謂紅銅皆黃銅也。銅爲錠錁煮以藥水，可爲假銀，豈不能爲白銅，嘉興烘爐以藥水染之作古銅色，豈不可充紅銅，故臣謂今所行白銅紅銅皆黃銅也。或謂現今禁用黃銅器皿，則用銅之處甚少，不知卽煙袋一物足以耗制錢而有餘。臣訪聞外間用制錢十數文打造煙袋一枝卽可賣制錢六十八十文，小民嗜利，毫末必爭，頃刻取數倍之利，有不冒險爲之者乎，今天下不用煙袋之人百不得一，猶有一人用數枝者，人之數千萬而無算，則煙袋之數亦千萬而無算，鼓鑄所出，豈足當銷燬之數哉！」（註二三）李紱於是奏請除鑄鏡及樂器而外，一切打造黃銅、紅銅、白銅各舖盡行禁絕。是年十一月十八日，殷扎納亦具滿文奏摺敬陳錢貴原因及其補救辦法，殷扎納奏陳八旗、五城各局廠，預備買米而收貯制錢，賣米所得制錢亦暫行收貯，如此，乃減少制錢流通數量，至於各當舖囤積制錢，高利借貸，同樣減少錢量，以至錢少價昂，因此殷扎納奏請將各局廠所貯制錢交戶部支放兵丁錢糧，並禁止開設囤積制錢各當舖，惟其建議，未爲總理事務王大臣所採納，其原摺略謂「奴才伏思，有益於兵民生活之事，無較每日用錢更緊要者。先是十、十五年以前，以一兩之銀所兌換之大制錢，尚及九百五十餘錢，其後錢價漸昇，現今一兩之銀所兌換之大制錢僅及八百餘錢，若與從前相比，一兩之銀，其所減少之大制錢達一百五十錢，看來不可謂無緣故。詳細思之，八旗、五城有官糧局，爲預備買賣米糧而蓄積錢。現今所開當舖，取四、五分利息者甚多，此等當舖亦因囤積錢之故，以致制錢不僅不敷兌換周轉，而且以重利爲生之兵民亦甚困窘。奴才我之愚意，可否將各官糧局所蓄積之錢，皆交至戶部，撥於每月錢糧內支放給兵丁。再將取四、五分重利囤積制錢之當舖，悉行嚴禁，不准開設，如此，囤積之處可減少，錢價得以平穩，於兵民生活必多益處。奴才我愚昧之至，所知膚淺，是否可行之處，仰祈聖主明鑒。」（註二四）

清世宗在位期間，積極整理財政，釐剔積弊，歲入頗增。同時爲謀改善旗人生計，厲行中央集權，對八旗制度頗多變革。然而各項改革利弊相隨，得失互見，旗員陞遷，田賦改革，或因制度不善，或因人謀不臧，民人多感不便。因此，條奏檔實爲探討雍正朝施政得失的重要史料。

註釋

〔註　一〕「大清高宗純皇帝實錄」，卷三，頁六，雍正十三年九月乙卯，上諭。

〔註　二〕宮中檔雍正朝滿文奏摺，第三十三號，雍正十三年十一月初五日，都隆額奏摺。

〔註　三〕宮中檔雍正朝漢文奏摺，第七十七箱，三〇六包，五五一七號，雍正十三年十一月，石介奏摺。

〔註　四〕管東貴撰「滿族入關前的文化發展對他們後來漢化的影響」，中央研究院歷史語言研究所集刊，第四十本，頁二六四，民國五十七年十月。

〔註　五〕「年羹堯奏摺專輯」，中冊，頁四九一，民國六十年十二月，國立故宮博物院。

〔註　六〕趙綺娜撰「清初八旗漢軍研究」，故宮文獻，第四卷，第二期，頁六一，民國六十二年三月，國立故宮博物院。

〔註　七〕「大清高宗純皇帝實錄」，卷五，頁四〇，雍正十三年十月癸巳，上諭。

〔註　八〕宮中檔雍正朝滿文奏摺，第七十六號，雍正十三年十二月初五日，塞貝奏摺。

〔註　九〕宮中檔雍正朝漢文奏摺，第七七箱，三〇六包，五六一〇號，雍正十三年十一月初二日，金珩奏摺。

〔註一〇〕宮中檔雍正朝滿文奏摺，第四號，雍正十三年十月十八日，允祿奏摺。

〔註一一〕王慶雲著「熙朝紀政」，卷三，頁四六；莫東寅撰「地丁錢糧考」，見「中和月刊史料選輯」，第二冊，頁六八二。

〔註一二〕鑄版「清史稿」上冊，食貨志，賦役，頁四三八，香港文學研究社出版。

〔註一三〕拙撰「清世宗與耗羨歸公」，東吳文史學報，第一號，頁一五，民國六十五年三月。

〔註一四〕宮中檔雍正朝漢文奏摺，第七十七箱，五一二包，一九三七八號，雍正五年八月二十六日，塞楞額奏摺。

〔註一五〕同前檔，第七十七箱，三〇六包，五五九九號，雍正十三年十一月二十日，許王猷奏摺。

〔註一六〕譚彼岸撰「清中葉之貨幣改革運動」，見包遵彭等編「中國近代史論叢」，第二輯，第三冊，頁三八，民國四十七年十月，正中書局。

〔註一七〕劉翠溶著「順治康熙年間的財政平衡問題」，頁九。民國五十八年八月，嘉新水泥公司文化基金會出版。

〔註一八〕湯象龍撰「道光時期的銀貴問題」，「中國近代史論叢」，第二輯，第三冊，頁二八。

〔註一九〕「大清世宗憲皇帝實錄」，卷四〇，頁三〇，雍正四年正月己未，據戶部議覆。

〔註二〇〕陳昭南著「雍正乾隆年間的銀錢比價變動」(1723-95)，頁四二，民國五十五年六月，中國學術著作獎助委員會出版。

〔註二一〕宮中檔雍正朝滿文奏摺，第十號，雍正十三年十月初八日，七格奏摺。

〔註二二〕同前檔，第六號，雍正十三年十月二十一日，偏圖奏摺。

〔註二三〕宮中檔雍正朝漢文奏摺，第七十八箱，五四包，二〇九〇〇號，雍正十三年十二月二十八日，李紱奏摺。

〔註二四〕宮中檔雍正朝滿文奏摺，第六十七號，雍正十三年十一月十八日，殷扎納奏摺。

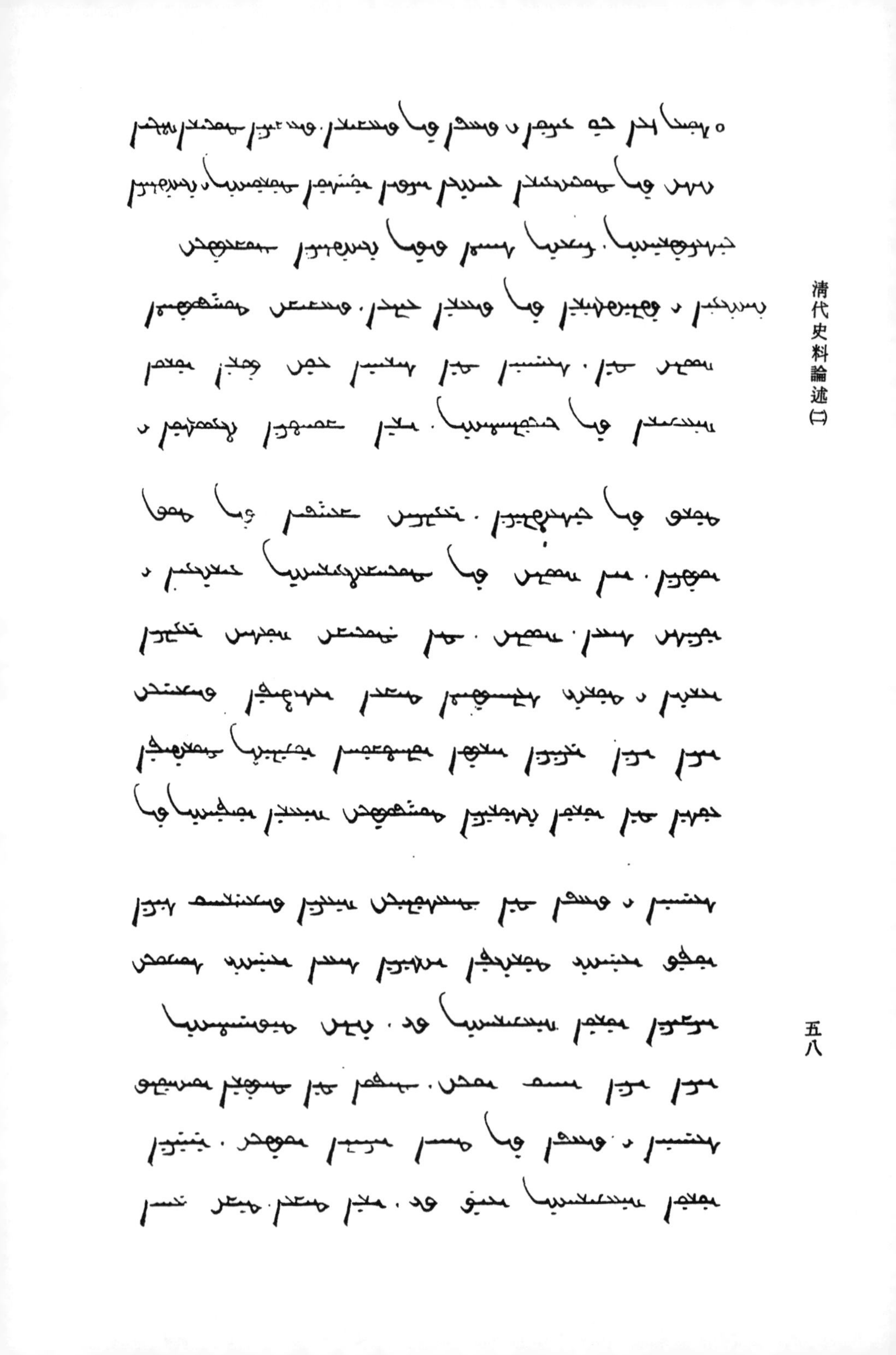

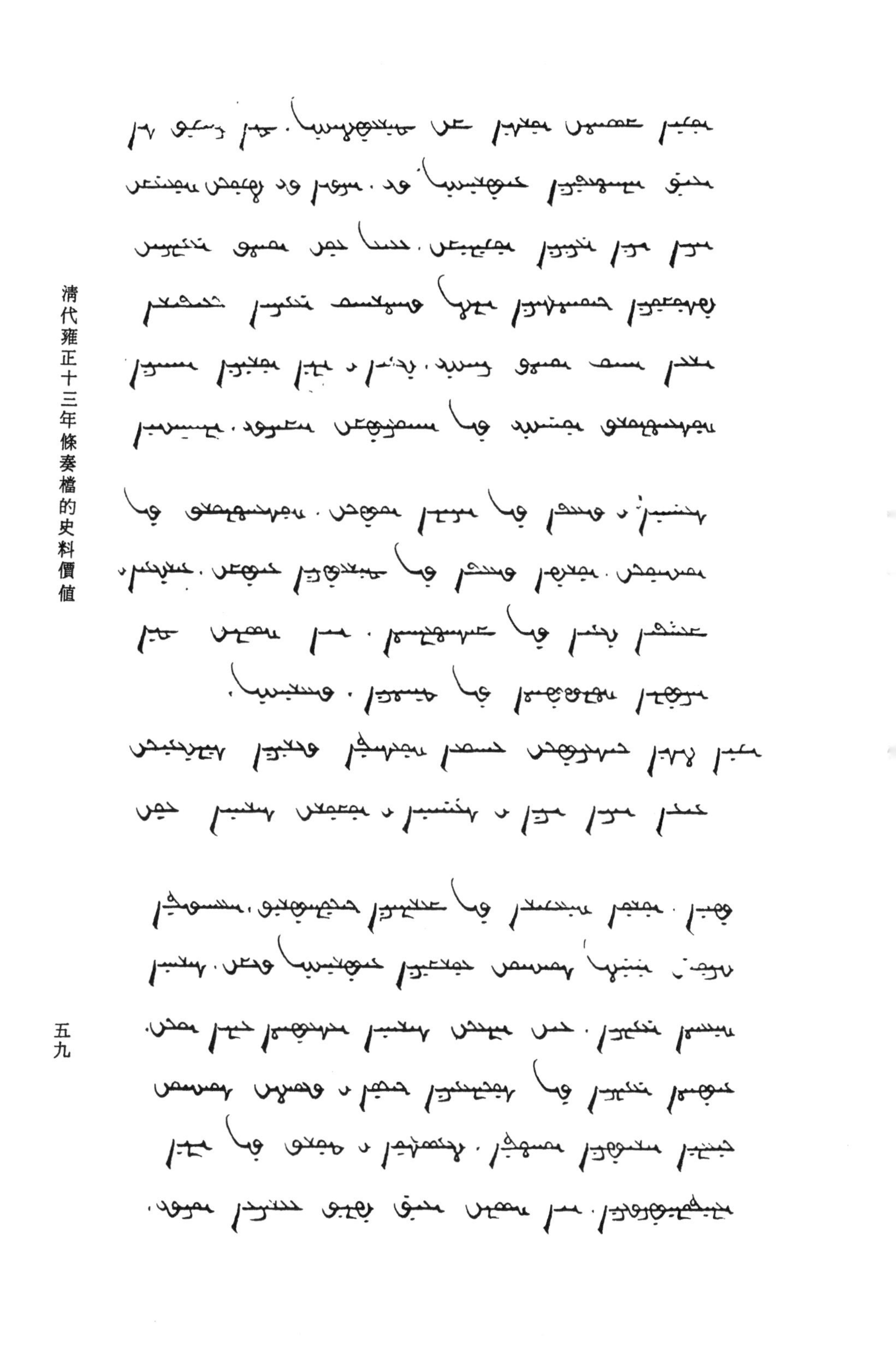

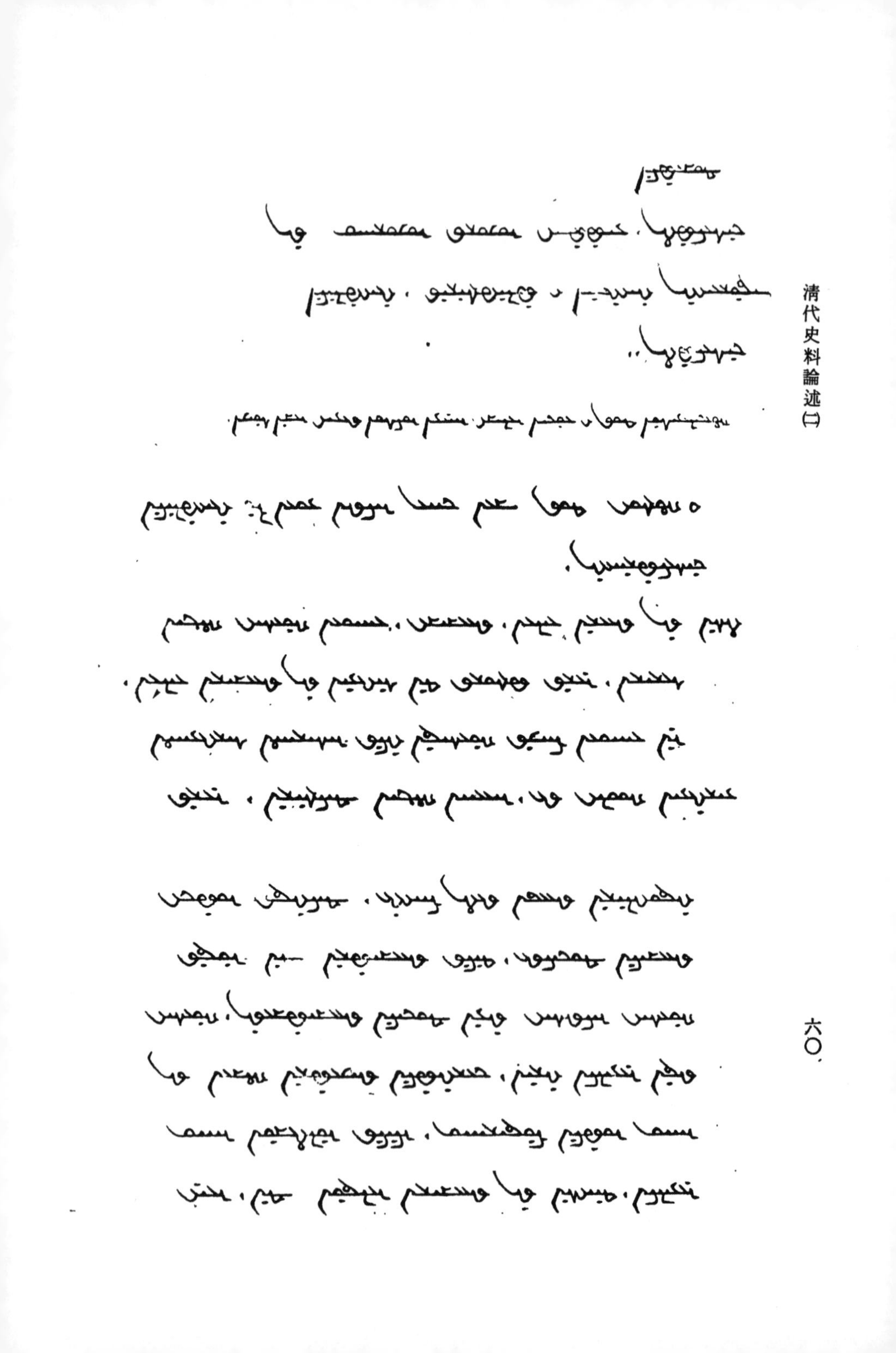

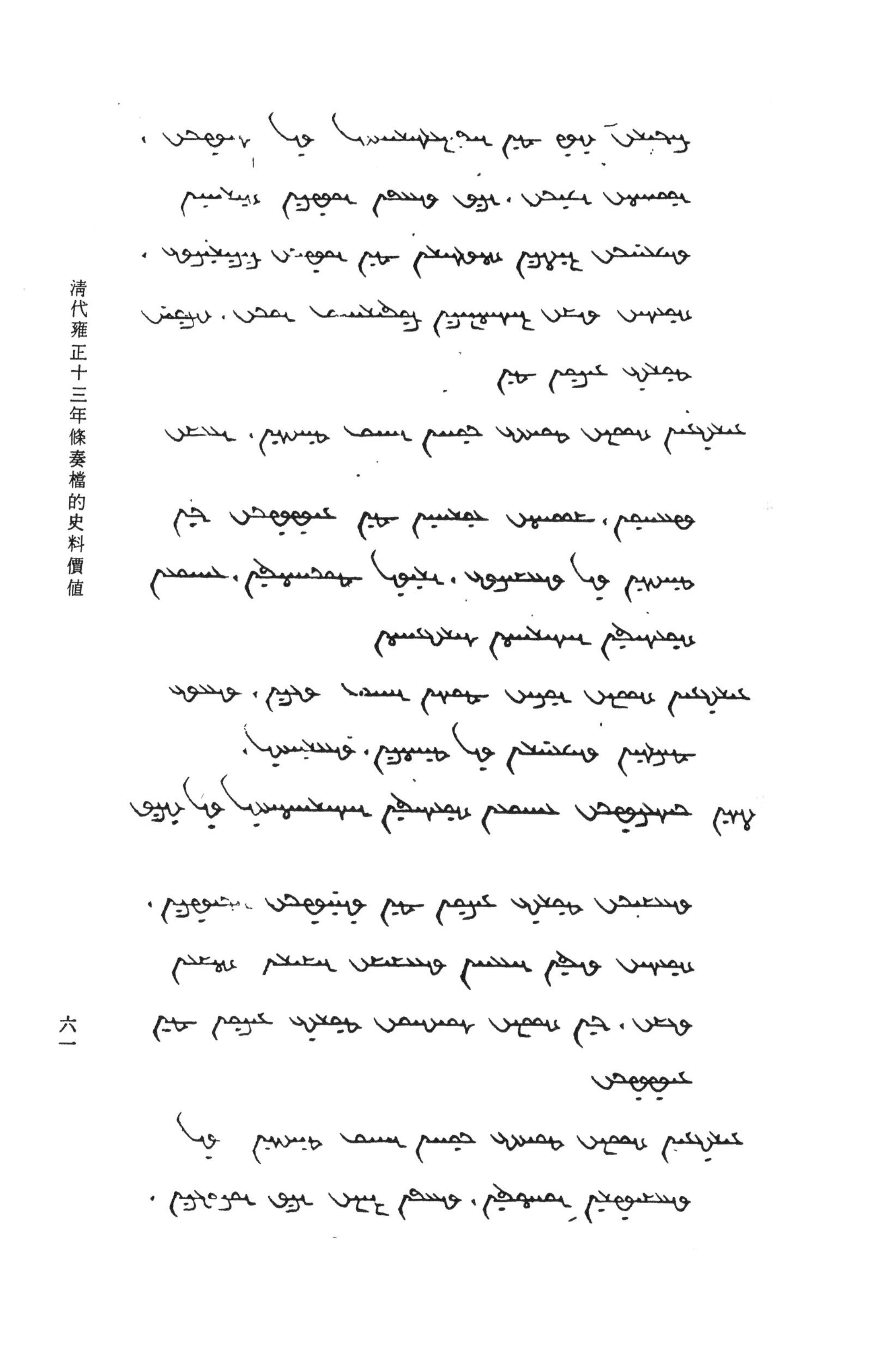

[illegible]
[illegible]

[illegible]
[illegible]

[illegible]

清代專案檔的史料價值

一　前　言

清代辦理軍機處爲便於查考舊案，例須將經辦事項抄錄存貯。國立故宮博物院現藏軍機處檔以摺包與檔册爲數較夥，前者主要爲宮中檔奏摺的抄件，即奏摺的副本，內含各類清單、附片、地圖，此外尚有各類文書，如咨文、知會、照會、函札等，原係按月分包儲存，故稱月摺包，簡稱摺包；後者則爲分類記載各種文件事務的簿册，軍機處承宣諭旨及經辦文移，皆須分類謄錄，裝釘成册。軍機處漢字檔册，因數量繁多，歷年翻閱，間有擦損，於乾隆五十四年、六十年、嘉慶六年，三次謄繕，另貯備查。嘉慶十年起，定例每屆五年繕修一次，自咸豐四年起改爲每三年繕修一次。張德澤撰「軍機處及其檔案」一文指出檔册爲軍機處分類彙抄關於國家庶政的檔案，是軍機處檔案中最重要的部分，並依其性質，將檔册分爲目錄、上諭、奏事、電報、記事、專案等六類。例如隨手登記檔、摺片登記檔等屬於目錄類；寄信檔、上諭檔等屬於上諭類；奏摺檔、議覆檔等屬於奏事類；收發電檔等屬於電報類；早事檔、密記檔等屬於記事類；至於專案類則以事爲綱，逐日抄繕成册，其每一種檔册，僅關一類之事，並不雜載。張氏將專案檔分爲洋務、藩務、軍務、典禮、引見、行圍、巡幸、考績八種（註一）。惟前述各種專檔中多屬於記事類，本文僅就國立故宮博物院現藏清代辦理地方事件的專案檔册，逐項簡介，探討其史料價值，俾有助於清史的研究。

二　緬檔

清高宗乾隆初年，緬甸曾遣使朝貢中國，旋卽中斷。自甕藉牙（Aungzeya）崛起以後，因邊境糾紛而導致中緬關係的惡化，清廷四次興師征討緬甸，緬王旋遣使進表納貢，接受册封，緬甸正式納入中國的藩屬體系之內，緬檔卽探討淸高宗時代中緬關係的重要直接史料。國立故宮博物院現藏緬檔起自乾隆三十二年至三十五年，計八册。內含字寄、傳諭、特諭、內閣奉上諭、知照、檄諭、書信及軍機大臣的奏片等文書。字寄與傳諭屬於寄信上諭，卽所謂廷寄。內閣奉上諭由軍機大臣撰擬，經述旨發下後交內閣傳鈔，稱爲明發上諭。清代特諭，多爲君主特降的硃筆諭旨，惟緬檔內所錄特諭是軍機處交辦事件，例如乾隆三十四年正月十三日載特諭一道，其文云：「辦理軍機處諭雲南押送逃犯多成之把總知悉，所有逃犯多成現在奉旨仍解回雲南，交與總督明德。該把總接到此諭，卽速行解回。交至總督衙門，該把總沿途務宜小心防範，毋致有疏虞，自干重戾，特諭。」知照爲行知會辦的一種文書，其性質與知會、咨文相近，例如乾隆三十二年三月，緬檔抄錄知照一件，原文云：「辦理軍機處爲知照事，本月初四日奉上諭，諾穆親著調補雲南驛鹽道，錢受穀著調補雲南迤東道，俱隨總督明瑞前往辦事，所遺河南開歸道員缺，著孫廷槐調補，陝西漢興道員缺，著甘廣調補，欽此。經本處奏明錢受穀卽著馳驛前赴雲南永昌府，諾穆親在河南驛站孔道候雲貴總督明瑞過時卽隨同馳驛前往，相應知會貴撫卽令該員遵照起程，須至知照者，右咨河南、陝西巡撫。」檄諭則爲曉諭或罪責藩屬的一種文書，辦理軍機處設立後，檄諭多由軍機大臣擬寫，以地方督撫大員的名義發出。例如乾隆三十三年十一月初四日軍機大臣遵旨擬寫檄諭老官屯頭人那拉塔文稿，進呈御覽發下後，交與翁得勝等譯出擺夷字，與漢字原稿一齊寄交阿里袞等對明繕寫。其漢字原稿全文爲：「副將軍協辦大學士、戶部尙書、一等果毅公、署雲貴總督阿，檄諭結些頭目。爾僻處遐荒，毗連緬境，今春爾爲該匪出力，抗拒天兵，本爵等所深知。但念爾爲賊匪所脅，姑不追咎既往。茲聞爾等與緬酋搆釁，於六月內進兵，可見爾等明於順逆，甚屬可嘉，若能督率夷衆，悉力攻勦，取其土地，卽奏聞大皇帝，加恩賞賚，並以其地與爾管轄，爾等自必向慕天朝德化。如欲投誠納款，不拘今多明春，及大兵進勦之時，隨到隨卽奏聞大皇帝格外重加恩賞，且可長受天朝德澤，永享太平之福，爲此諄切開諭，爾其凜遵，特諭。」（註二）其餘檄諭頗多，如檄諭南掌國王、檄諭暹羅國王等文稿，可以瞭解清廷在中緬之役中所採取的封鎖政策。在緬檔內所抄錄的書信，件數亦夥，內含「譯出緬匪給隴正官字」、「譯出木邦宣慰與將軍字」、「譯出木邦宣慰與八土司字」、「譯出木邦苗溫與芒市等八土司棕葉字」、「木邦宣慰與領兵大人字」、「譯出木邦宣慰與遮放頭目字」、「譯出木邦宣慰與將軍並八土司字」、「譯出苗溫與將軍棕葉字」、「譯出緬匪頭目乜牟水當角塘蒲葉書」等，都是珍貴的史料。其中「譯出緬匪給隴正官字」，係乾隆三十三年十二月十一日所錄，爲緬甸領兵官芒普拉諾爾塔寄給隴正及擺夷頭人的書信，信中指出「請天朝有名有姓的官兩位到敦洪坎地方，我們也差個明白的官，當面說個明明白白。你們兩個在中間替我們講，若天朝肯依，我們兩邊就多好了，若天朝執意不肯，必要打仗，我們也怕不得了。」中緬之役，淸軍屢戰屢敗，緬甸的態度益趨強硬。

緬檔內抄錄的供詞是探討中緬戰役的直接史料，爲一般官書所不載。乾隆三十二年五月二十五日，軍機大臣詢問蕭日章，據稱「邊外瘴氣從四月起至九月方止，瘴氣也不一樣，最甚莫如七八九三月。邊外稱平地爲把子，大約山深箐密把子少者瘴氣最甚，其中山勢開敞把子寬廣者瘴氣略少，惟十一月至三月此五個月可以進兵，山頂透風之處瘴氣就少些。聽見緬匪每次打仗。先將近緬邊地夷民驅集在前，我兵鎗礮打斃者多係此種名叫肉攩牌，所以眞緬匪一時不得盡行殲滅。」淸高宗以初秋逢閏，節氣早涼，瘴氣易消，恐曠日持久，而命將軍明瑞於九月初進兵，緬兵採取堅壁淸野之計，廬舍爲墟，明瑞孤軍深入，兵敗自縊，全軍覆沒（註三）。乾隆三十三年六月初七日，軍機大臣詢問耿馬土司罕朝瓔，據稱「緬地糧米多係糯稻，不論山坡地角，零星播種，相近阿瓦地方，土地平坦，天氣和暖，隨割隨種，有一熟兩熟不等，一切菜蔬，四季俱有。至賊人多用標子、短刀，鎗礮亦多，又有地雷一種，埋在大路中間，上用樹枝架住，將土蓋上，人馬踹著卽時發火轟燒，這是在蠻結一路親見有人踹着的。至緬地賊衆共有若干，不能深悉，我在軍營看見賊衆總不敢在平地接仗，只等大軍在兩山中間路窄之處及山坡險峻難行地方始來攔截，且預備鎗礮等候，待我兵自下而上漸至疲乏之時，方來衝突。再緬子領兵頭目俱穿紅衣，兵丁俱穿青衣，每隊後另有人衆挑著糧米跟隨，總因賊數衆多，所以打仗輕便，而糧石亦不致短少。」緬兵所用的標子固非利器，惟其鎗礮已經改良，是一種新式武器，清軍仍用弓箭、鳥鎗，其殺傷力遠不及緬兵所用的地雷及鎗礮。楚雄民人何士順曾被俘至緬甸，逃回內地後曾供稱「鎗礮聞係西洋人所造，其鎗皆自來火，礮子有重至五六十兩者，鉛彈率五六錢以上。」

除供詞外，緬檔內也附錄了各種清單，例如乾隆三十二年三月二十四日所錄「擬撥各省銀數清單」，開列河南、安徽、江蘇、兩淮鹽課內共撥銀二百一十萬兩，合雲南省庫存銀九十萬兩，共銀三百萬兩。楚姚鎮總兵印務曾奉旨令觀音保署理，旋因觀音保奉旨在領隊大臣上行走，其所遺總兵員缺，應於各現任總兵內另簡一員調補，或令國柱補授之處，軍機大臣繕寫奏片請旨，並將雲南省總兵名單進呈御覽，經清高宗欽定，令國柱補授，軍機大臣即擬寫明發上諭，原稿爲：「乾隆三十二年五月十三日，內閣奉上諭，雲南楚姚鎮總兵員缺著國柱補授，欽此。」此外如「雲南綠營兵丁月支銀米數目清單」、「京兵月支銀糧數目清單」、「軍營出力副將名單」、「各省辦解馬匹數目清單」等俱爲探討清廷征討緬甸的重要資料。至於「鄂寧自書清單」則爲一種口供單，舒赫德與鄂寧具奏密陳情形一摺內有設法招致緬甸投誠等語，清高宗降旨令其明白迴奏，舒赫德與鄂寧彼此爭執推諉，鄂寧入京後，清高宗面詢在雲南如何商辦，鄂寧遂具書奏單，原單全文爲：「舒赫德云，召見時議論進勦緬匪之事，皇上言譬如朕不要行之事，汝等要行，朕必不依，若天不許行，而朕強行，亦不可也（夾批：此旨已記錯改正）。但此事有關國體，實難即罷休，若緬匪果然投降，還可將就，仍奏云若該匪有幾分投降光景，奴才等裝點幾分還可以使得（夾批：此語實未曾奏），若全無光景，奴才等也不敢就將難辦情形奏來求皇上交王大臣會議（夾批：此語有的），皇上未下旨意，但泛言鄂寧就打發個人去也使得罷了等語（夾批：朕言此亦不過如雍正年間西路罷兵之議耳，究不能瞞人，何云未下旨意，朕何曾有此語）。鄂寧再三問舒赫德，此話都是眞麼？仍云此等大事，我承旨三四十年，如何得錯。鄂寧到永昌，當阿里袞面前議論之間，又將此話問舒赫德兩三次，仍俱如此言，並無改易，阿里袞俱亦聽聞。」清軍在征緬戰役中，損兵折將，以致束手無措，竟議招降緬甸，鄂寧所書供單，雖經御筆改正，然而舒赫德在軍機處承旨數十年，其招降之說，當係奉承旨意罷了。總之，探討中緬之役的原因及經過情形，除宮中檔奏摺原件、軍機處月摺包外，緬檔實爲珍貴的直接史料。

三　金川檔

金川因河而得名，有大金川與小金川之分。大金川，當地土語稱爲促浸，意即大川，小金川，土語稱爲儹拉，意即小川。因臨河一帶，傳說可以開礦採金，故促浸習稱大金川，儹拉習稱小金川（註四）。明代曾册封讚拉土司爲金川寺演化禪師，清初康熙年間，沿明舊制，頒授金川寺演化禪師印信。雍正初年，爲削弱儹拉勢力，另授促浸土司爲大金川安撫司，令其分疆而守，互相牽制。惟大小金川聲勢日盛恃強侵奪，不安住牧，邊境遂無寧歲。清高宗爲求一勞永逸之計，於乾隆十二年二月，興師進勦大金川，但因邊地重山疊嶺，堅碉林立，兵力難施，高宗知難而退，旋卽降旨班師。大金川自是益輕天朝，勾結小金川，狼狽爲奸，肆意刼掠，清高宗深悔姑息，決心大加懲創，乃於乾隆三十六年六月，第二次征討大小金川。金川檔卽軍機處辦理大小金川案的檔册，起自乾隆三十六年，迄於乾隆四十一年止，共計十三册。就文書種類而言，有寄信上諭（圖版壹）、明發上諭（註五）（圖版貳）、咨文（圖版叁）、知照（圖版肆）、知會、奏片（圖版伍）、議覆摺、札啓、傳旨及檄諭等，方略館或實錄館卽據各類諭旨及摺奏等彙纂成書，惟內容多經删略，例如乾隆三十六年八月初八日，軍機大臣協辦大學士戶部尙書于敏中遵旨寄信副將軍溫福，上諭原文計約七百九十餘字，清高宗實錄，雖載此道寄信上諭，惟經删略後僅二百二十餘字（註六）。從軍機大臣所進呈的奏片，可以瞭解其擬寫諭旨及處理文移的過程，例如乾隆三十六年分金川檔下册抄錄明發上諭一道：「乾隆三十六年十一月二十七日，內閣奉上諭，現在四川辦理小金事務，一切奏報郵函均關緊要，自應特派大員督辦，以耑責成，而免稽誤，四川著派李本，陝西派敦福，山西派黃檢，直隸派王顯緒，將經過各驛站接遞交送及沿途催趲事宜實力查察董率辦理，如有遲延舛誤之處，惟專派之員是問，欽此。」是月二十八日，金川檔附錄軍機大臣奏片一件：「臣等遵旨將自四川至京經過驛站，於一切文報往來，專派大員經管督催之處，謹擬寫明發諭旨進呈，並將各該省藩臬兩司開單呈覽，恭候欽定，謹奏。四川布政使李本，按察使李世傑，陝西布政使畢沅，按察使敦福，山西布政使朱珪，按察使黃檢，直隸布政使楊景素，按察使王顯緒。十一月二十八日。」（註七）由此可知軍機大臣擬寫明發諭旨，並開列名單呈覽，經清高宗欽定後以內閣名義頒發，故冠以「內閣奉上諭」字樣。「啓」是一種官信，即官方往來的函札，軍機大臣面奉諭旨後間以函札發下交辦（註八）。例如乾隆三十八年八月初二日，軍機大臣取到內閣存貯將軍印譜後進呈奏片，並致函中堂將原印發交將軍阿桂行用，其啓文爲：「啓者，今早接到將軍印譜，即經進呈，奉旨揀用定西將軍清字印，並面奉諭旨以從前清字原印係愛將軍所佩帶，成功尤爲吉利，特令發給將軍阿桂行用，爲此寄知，中堂即於內閣取出，用印箱盛貯，加謹封固，即交兵部由驛六百里馳送，令沿途驛站小心護送，迅速齎遞，並將何日發交兵部馳送之處附報奏聞，此啓，八月初二日。」探討軍機處的發展及其職權的擴張，必先於軍機大臣承辦各種文移加以分析或認識，始能瞭解軍機處在清代政治方面所佔地位的重要。雍正七年，清廷因用兵西北，經戶部設立軍需房（註九），乾隆年間，因清高宗屢次用兵，軍機大臣承攬軍機重務，軍機處的職責遂日益廣泛。

在專案檔內常見檄諭原稿，由軍機大臣代擬，寄往軍前，由文武大員頒發。乾隆三十七年十一月二十一日，金川檔抄錄「擬董天弼給澤旺檄稿」全文，並譯出藏文，以總兵官董天弼名義發給小金川老土司澤旺（圖版陸）。金川檔內抄錄數量多且內容詳盡的供詞，而更增加其史料價值。例如乾隆三十七年十月初八日，四川省將金川人幹布魯鄂木措等二十三名解送至京，軍機大臣遵旨逐一詳加訊問，分繕供單呈覽。據供「金川與小金川本是一家，如今小金川土司僧格桑是索諾木姐夫，又成親戚，想來土司因此幫着他。我們春天在這革布什咱的時候，有送糧的人來聽見說已派一千多兵去幫助小金川了。」又供

「刮耳崖、勒歪兩個官寨內土司們住的碉房，造得極是堅固高大，有十七八層高的，也有二十四五層高的，外面還有石砌的圍牆，牆外纔是百姓住着，百姓人家看來也有幾百家」。又供「金川地方並不出產大米，都不過是大麥、小麥、青稞、蕎麥、黑豆、豌豆等項，每年有兩熟。」大小金川既屬一家，恃強刼掠，日益鴟張，清高宗興師征討，以靖邊圉，固非有意窮兵黷武，然清軍平準噶爾、定回部，拓地二萬餘里，成功不過五年，而兩金川地不逾五百里，兵不滿二萬人，然而清廷靡費不啻倍蓰，成功尤遲，其所以能以寡拒衆，實由於地形所限，定邊將軍溫福等稱「賊人所恃，只在地險碉堅，我攻彼守，形勢既殊，而道路之夷險遠近，賊匪較爲熟悉，故以少拒多，是其慣技，每遇碉寨所踞地勢危峻，官兵非但不能四面合圍，即攀援一線亦不能排列多兵而上，及經攻破，賊多從後一面滾山鑽箐逃竄無踪。總緣此地跬步皆山，並無平地，賊番生長習慣，其善於穴地藏躲，與兔鼠相類，其便於履險竄走，與猪猴無異，臨陣之殲戮無多，實由於此。」（註一〇）大小金川地方物產豐富，年有兩熟，不虞匱乏。乾隆三十七年十二月十四日，四川總督文綬將小金川薩爾甲等六名解送到京，交刑部收禁，由軍機大臣等訊取供詞。其中達邦是老土司澤旺手下的伴檔，澤旺因小金川地方沒有醫生，故派達邦進藏學醫，達邦在第穆胡土克圖地方學了六年醫。據供「我學的醫道也是診脈用藥，男子從左手診起，女子從右手診起，用的藥料與內地一般，他那裡也有醫書，是西番字的，共有四種。」各土司民戶原多敬奉佛教，畏懼神譴，大小金川喇嘛善用「札答」，每當攻碉吃緊之際，疾風暴雨，雷電交作，土兵深信喇嘛有呼風喚雨下雪降雹的邪術，俱怯而不進。喇嘛復善於念咒，以控制土民。據堪布喇嘛色納木甲木燦供稱「至念咒，我曾學過，上年官兵攻打遜克爾宗的時候，土司曾叫我領了衆喇嘛念咒，咒大兵，後因念經的人倒多病了，土司還嫌我念的不靈。這念咒總要是讐人，有了他的頭髮、指甲，念了還能準些，若是空念是沒用的。那請雨的法兒我也會念，但有時靈驗，有時不靈驗，至下雷求雪我不會，有獨角喇嘛會的。」「他們會咒語的只有都甲、堪布兩個喇嘛，聽見說擄去的人就交與都甲喇嘛問領兵的大人名字，記下念咒，所咒教人心裏迷惑，打仗不得勝，至于下雪下雹子起雷打人，他們都是會咒的。」「索諾木教人起誓取下頭髮指甲，每人各封一小包，上面寫了名字，交給都甲喇嘛盛在匣內，有那個逃走的，就咒那一個。」喇嘛念咒，迷惑民心，瓦解清軍士氣，以致兵丁裹足不前。此外金川檔也抄錄了各種清單，例如文武官員名單、擬賞各大員物件清單、五十功臣名單、軍營陣亡人員清單等，其中木果木之敗，除定邊將軍溫福、副都統巴朗等陣亡外，其餘將弁文職各員傷亡衆多，陷沒兵丁尤夥，例如陝甘未出兵丁多達一千九百五十四名，四川未出兵一千六百一十二名（註一二），其餘傷亡滿漢弁員兵丁極多，清高宗兩定金川的經過，軍機處經辦文移及審訊口供，多抄錄存檔，因此，金川檔不失爲一種價值極高的直接史料。

四　東案口供檔

乾隆三十九年八月，山東壽張縣人王倫率白蓮教徒起事，襲壽張縣城，執殺知縣沈齊義，破陽穀，陷堂邑，分趨臨清、東昌，欲阻漕運，旋爲清軍所敗，王倫自焚死，生擒其弟王樸及要犯王經隆等，檻送京師，由軍機大臣會同九卿科道等員鞫訊。東案口供檔即軍機處抄錄王經隆等供詞以備存查的檔册。國立故宮博物院現藏東案口供檔計一册，共七十七葉，內含王經隆、吳清林、孟燦、王樸、梵偉、閻吉仁、閻吉祥、李旺、季國貞、李貴等要犯，分隸山東壽張、汶上、堂邑、陽穀、臨清等州縣，實爲探討王倫案件的重要原始資料。從王經隆等起事諸人的親供可以瞭解乾隆年間白蓮教的活動及民變的背景。

王倫，山東壽張縣人，父早喪，母張氏，兄弟四人，王倫居長，王眞居次，王樸居三，王淑居四，俱爲白蓮教餘黨。衆徒弟稱王倫爲主子，稱王樸爲三王。據王經隆即王聖如供稱，王倫在徒弟當中收爲義子的有閻吉祥、李桐、李玉珍、趙煥、艾得見、邵然、趙大坊、李世傑、丁若金、趙玉佩、溫炳、李質一、李得申、徐足、張百祿、趙傳、景淑、及王經隆本人，共計十八人。王倫平日敬奉眞武，稱天爲「無生父母」，素習煉氣拳棒。王倫揚言將有四十五天刼數，即使神仙亦逃不過，唯有入道運氣，不吃飯的人才能避過刼數。天下開黃道者有七十二家，將由一家來收元，王倫爲眞紫微星，就是收元之主。據李旺供稱，王倫煉氣不喫飯，每日在院子或空房內禮拜，磕九個頭。王倫平日又替人醫治疾病，大家都信服他。例如壽張縣賈家莊人李桐因染疾病，王倫醫治痊癒，李桐即拜王倫爲義父，王倫教其運氣拳棒。在各徒弟中，凡習學煉氣不喫飯的則稱爲「文徒弟」，而演習拳棒的則稱爲「武徒弟」。王倫遣衆徒弟分往各州縣糾人入道，至起事前已有四五百人。

王倫起事的原因，據給事中李漱芳奏稱「山東吏諱災不報，反加徵激變，非盡邪教。」（註一二）軍機大臣等訊問王經隆「你們那裏的年歲實在如何？地方官有無作踐你們的事？」據供當時壽張等處年歲俱各有收，並不荒歉，實因平日跟着王倫學習拳棒運氣，大家見王倫多日不喫飯，拳棒又好，大家信服了他，就跟着他造了反。乾隆三十九年八月二十四日，王倫得悉有人出首邪教，官府即將查拏，因此提前起事，揚言四十五天刧數已至。八月二十五日，王倫與梵偉等密議，定於八月二十八日半夜子時起手顯道。梵偉是軍師，俗姓郭，自幼出家在南台顯慶寺念佛，據供梵偉學會過陰。王經隆爲正元帥，孟燦爲元帥，王經隆奉命傳集四百多人同往壽張縣接應。據王經隆供稱「（王倫）叫我傳糾衆人齊集張四孤庄，同到壽張會合，我就借稱刧數已近，遍傳在道之人，令其各自帶刀一把，於二十八日齊集我的庄上喫肉過刼。那日有四百多人到了庄上，先將劉四全家殺害起手迎會王倫。」九月初一日，衆人會齊，初三日，進陽穀縣城，殺縣丞及典史，開監放出人犯，隨即出城，初四日至堂邑縣，殺死縣官，搶走庫銀，是時裹脅入道人衆約有三四千人。惟因壽張、堂邑兩縣地方窄小，城墻低矮，不能據守，臨清州城大而堅固，所以王倫決定攻取臨清。九月初五日，屯住柳林，初七日至杏園，王經隆同孟燦帶領七百多人，攻打臨清新城，損失二三百人，連攻三次，俱失利而退，初八日，移住舊城東南門外。王倫採納季國貞、吳兆隆之議，欲阻漕運，季國貞帶人搶奪糧船，搭蓋浮橋，郭永敖等十二人各帶五十名在浮橋兩岸分守堵截官兵。王經隆同梵偉、吳兆隆前往新城焚燒城門。初十日，王經隆受傷後由吳清林、李忠爲元帥，代王經隆領兵，入踞舊城。二十八日，官兵圍困緊急，王倫令徒衆四散藏匿，元帥孟燦被官兵拏獲後自認作王倫，轉移官兵注意力，不再搜拏王倫。據王經隆供稱，王倫所傳咒語，若遇對敵打仗時口誦「千手攩萬手遮，靑龍白虎來護着，求天天助，求地地靈，鎗礮不過火，何人敢當。」就不怕鎗礮刀箭，但白蓮教的邪術終為清軍所破。軍機大臣曾將攻打臨清時城上有女子黑狗血一節加以訊問，據李旺供稱「這是頭一次攻臨清西門的事，這一次，王貴在前，攻城時，城上施放鎗礮，王貴的眼被打瞎，跑轉回來，說是城上有女人破了法了。那時我也遠遠望見城上有兩個披着頭髮之女人，一個騎在城垛上溺尿，這一次我們的人被鎗打死的很多。」據孟燦供稱「攻臨清時，聽見王倫說城上有穿紅（衣）的女人，光着下身，抹着血溺尿，把我們的法破了。」白蓮教借邪術以迷惑民衆，清軍亦以邪制邪，王倫終於兵敗自焚。

五　東案檔

東案檔計二册，乾隆三十九年九月初五日至同月三十日分為上册，十月初一日至四十年正月分為下册，為軍機處彙抄王倫教案承辦文書的檔册，內含寄信上諭、明發上諭、奏片、議覆摺、咨文、傳知、及部份供詞。各類上諭多為實錄所不載，例如乾隆三十九年九月分，清高宗實錄內有關王倫教案的諭旨共計四十四道，而東案檔內共計八十五道，其中九月十一日辛酉，清高宗實錄為王倫起事問題共錄上諭四道，東案檔共七道，內含字寄六道，傳諭一道。九月十六日丙寅，清高宗實錄不載東案諭旨，東案檔載字寄五道，傳諭一道，九月十七日丁卯，清高宗實錄未載東案諭旨，東案檔抄錄字寄四道，傳諭一道。九月十八日戊辰，清高宗實錄載東案上諭三道，東案檔抄錄寄信上諭三道，內閣奉上諭二道。比較其他月日，上諭件數相差頗多，且清高宗實錄所載實錄多經删略。例如山東巡撫徐績據署臨清州知州秦震鈞等稟報乾隆三十九年八月二十八日起更時分堂邑縣張四孤庄王聖如等率領多人手持兇械，放火傷人，徐績即具摺奏聞，九月初五日，軍機大臣大學士于敏中遵旨寄信徐績上諭一道，指示方略，清高宗實錄將字寄改書諭軍機大臣等字樣，並將王聖如改作王經隆，據云王聖如爲誤聽之名。九月初六日，軍機處發出字寄一道，東案檔抄錄寄信上諭原文共計一千二百餘字，清高宗實錄所載此道上諭，因經過刪改，節錄三百八十餘字（註一三），寄信上諭原文記載壽張縣知縣沈齊義係浙江舉人，實錄刪略不載。九月初七日，軍機大臣遵旨寄信大學士舒赫德，令其即速啓程，以馳往南河督視漫工爲名，由天津前往臨清平亂，清高宗實錄將此道上諭改繫於九月初八日戊午，原文內容亦多刪略。王倫屬下會舞刀打仗的婦女，有烏三娘等人，打仗時善用雙刀，與官兵抵敵。清高宗實錄將烏三娘改作「無生聖母」（註一四）。

東案檔內間亦附錄滿文諭旨，德州城守尉格圖肯一經兵挫即徑爾退往東昌，臨陣退避，乾隆三十九年九月十七日，軍機大臣遵旨寄信舒赫德，以六百里加緊文報密諭舒赫德將格圖肯正法，寄信上諭末附錄滿文及譯漢諭旨各一道，其滿文諭旨云：“fu´giyan fi, uksun be fafun gamarade, giyan niyakūrabufi suwayan umiyesun be huwesileme lashalaci acambi, erebe sa.” 意即：「硃筆，宗室臨刑時，理應令其長跪，扎斷黃帶子，著令知之。」原文所附譯漢諭旨云：「再格圖肯身係宗室，臨刑時應令其長跪，挑去黃帶子，再行正法，舒赫德亦應知之。」譯漢文意較滿文略詳。除寄信上諭，另有軍機處的傳行事件，例如乾隆三十九年十月初五日，東案檔抄錄傳知一件，其文云：「辦理軍機處爲飛速傳行事，現在本月十七日奉旨挑派吉林索倫等精嫺弓箭兵丁五十名，派御前侍衛春寧帶往山東，即於本日由常山峪起程，自京前赴，所有沿途應行預備口食餵馬等事，即照此次京兵前往山東之例，妥速預備，無得稍有遲誤，爲此飛速傳知，火速！火速！」原文末附書「此單交兵部，由常山峪至京，直隸良鄉、涿州至德州一路，沿途州縣驛站一體遵照。」

東案檔內亦抄錄各犯供詞，內含李旺、王起雲、張百祿等供詞，軍機大臣遵旨覆訊張百祿等，據供「王倫稱孤道寡，王倫「做了夢，夢見他自己是條龍，將來貴不可言，所以預先密密的封他兄弟爲王。」杜安邦爲捐納吏目，是壽張縣人，被王倫黨徒所縛，旋乘隙脫出。據杜安邦稱，王倫面貌多鬚，王倫至堂邑縣城，有男婦百餘人在城外跪迎。又據杜安邦稱「賊人常時前後混喊鎗礮不過火，及攻臨清之日，賊人跑囘亂喊說此處出了能人了，遠見城上有穿紅的女人，城墻抹了黑狗血，破了法，鎗礮竟過火了。」東案檔與東案口供檔俱爲探討白蓮教的直接史料，舉凡白蓮教徒平日的活動，收徒傳道的方式，信仰及組織等皆可從當事人的供詞，提供珍貴的資料。

六　剿滅逆番檔

撒拉爾囘人居住青海西寧地方，向奉囘教舊教，俗稱囘番，又作番囘。乾隆三十五年，蘭州府屬循化廳囘人馬明心另立新教，自爲掌教，蘇阿渾即蘇四十三等爲其徒，勢力日盛，新舊教遂仇殺不已，陝甘總督勒爾謹於乾隆四十六年派遣知府楊士璣及河州協副將新柱前往查拏（註一五），行至白庄子時，被新教回人千餘名包圍，三月十八日，楊士璣、新柱俱被殺害。二十一日二更時分，蘇四十三等率回人男婦約二千餘人各帶馬匹器械，圍困河州城，殺死守城官兵後佔據河州城，清高宗命大學士阿桂督率滿漢屯土官兵赴勦，歷三閱月始平定回亂。勦滅逆番檔即軍機處抄錄有關清軍平定蘭州回亂往來文書的檔冊。

國立故宮博物院現藏勦滅逆番檔計二册，自乾隆四十六年三月二十八日起至五月二十九日止爲上册，自是年閏五月初一日起至七月二十九日止爲下册，內含寄信上諭、明發上諭、咨文、奏片、札諭、告示等類文書。札諭爲上司對屬員所使用的書信，乾隆四十六年四月初七日，抄錄札諭原文如下：「軍機大臣爲札諭事，本日接據和大人來札稱，隨帶滿漢各司員，俱各落後，現在連奉諭旨，未能覆奏，希催令該司員等迅速趕上勿遲等因，飛咨沿途各驛站多備夫馬應用，以便隨到隨行外，該司員等務即晝夜儹行，迅速趕上，毋得躭延遲誤，須至札者。四月初七日。」告示則爲曉諭民衆的一種文告，清廷平定蘭州回亂後，曾發出告示曉諭回民，原稿由軍機大臣擬寫，以阿桂的名義頒示，勦滅逆番檔抄錄告示全文，其首行書寫「欽差大學士公阿全銜」，文內首述清軍勦洗新教回民的緣由云「爲徧行出示曉諭事，照得本年撒拉爾逆回蘇阿渾即蘇四十三借名新教，煽惑愚民，肆擾不法一案，本閣部堂奉命督率滿漢屯土奮勇官兵擒拏搜捕，業將賊巢全行掃蕩，首逆蘇四十三及黨惡回衆等殲戮淨盡，並將華林山賊營墳墓屍身概行揚灰剉骨，刨挖鏟平，妻子家屬正法緣坐，今欽遵諭旨將逆賊蘇四十三首級傳示各省，曉諭回民，所有緣由有不得不明切宣示者（下略）。」蘇四十三兵敗後，新教回民俱藏匿華林山誓死抗拒官兵，終爲屯土所破，清軍將男婦回民悉數屠戮，探討回民變亂始末，必須參閱清代各種文書，專案檔內所錄各類文書卽爲軍機處當時承辦文移的抄件。

勦滅逆番檔內所抄錄的供詞，爲數頗多，內容亦極重要。蘭州回亂發生後，軍機大臣遵旨將甘肅番回名目及新舊教仇殺情形面詢肅州都司馬雲，並將其稟詞抄錄呈覽，於發下軍機處後，寄交阿桂閱看。乾隆四十六年四月初一日，據肅州鎮標都司馬雲稟稱「我係回教，祖居在河州，後移住西寧，我就是在西寧生的。西寧在薩拉爾西北，相離不過二百八十里路，所有那裏的情形，我都知道。那裏住的回番共有二萬餘戶，這種回番叫做狗西番，那裏有土司千戶一名，百戶一名，他們實是番子，因他也不吃猪肉，所以又叫番回，但與我們回教不同，他說話我們也不懂，就與番子一樣。至於爭教之事，都司在蘭州時聽見他們要到府裏告狀。這種回番本只有舊教一教，又有西安州所屬官川堡的回子哈志不遵我們這一教，自己又作了經卷，到薩拉爾回番地方另立了一個新教，攪亂人心，回番教中的人隨他的甚多，所以舊教的回番與新教的人爭鬥，他們說到府裏告了，我於二月十九日卽起身來了。再他們回番這一教的人甚是軟弱，會弓箭鳥鎗的人甚少，以我皇上的兵力洪福，只用一二千兵就可以全拏獲了。」（註一六）乾隆四十六年閏五月二十五日酉刻，在京刑部堂官派委司員協同甘肅省解員將馬復才等三人押送軍機處，軍機大臣嚴行審訊。據馬復才供「年三十七歲，河州東鄉人，現當循化廳衙役，已有三年，官名叫馬進玉。我向來原係入新教，上年九月間，蘇阿渾因與舊教相殺，起意鬧事，叫我上蘭州打聽新舊教的事，官府辦不辦，打聽有多少官兵，我住了好幾時，不聽見官府如何審斷，又打聽得蘭州沒有什麼官兵，三月二十四日回去迎到洪濟橋，遇見了蘇阿渾，就同他到蘭州搶西關，殺人放火。四月初間，又派我同三十個人來偷大礮，到離城四十里大打溝地方，被官兵衝散，藏在溝內，被百姓拏住了。」軍機大臣詢以蘇四十三因何謀逆殺官？何人起意？何人主謀？據供「造反是蘇四十三的意思，那馬明心也知道的，但他並不露面。上年九月裏見蘇阿渾差馬復進福送信與馬明心。」又供「蘇阿渾今年五十三歲，身子不高，連鬢短鬍子，面白色，並無疤痣，在賊營內穿的是白袍子、白褂子，平日也穿褐子及梭布的衣服。」除供詞外，勦滅逆番檔內間亦抄錄清單，乾隆四十六年閏五月初一日，軍機處據奏到甘肅省城正法逆回名單內開張國義，爲洪濟橋新教回人，從張國清到蘭州助回人作戰，至洮河時被拏，旋張國清續經拏獲解省審辦，奉硃筆圈出張國清，並奉硃批將張國清解往京城。另有陝甘二省額設馬步守三項兵數及歲支餉乾糧草銀兩清單等。陝甘回亂由來甚早，勦滅逆番檔就是乾隆年間清廷進勦新教回民期間軍機處將承辦各類文書抄錄存查的專案檔册，是探討回亂背景、起事經過及清軍平定回亂情形的重要資料。

七　勦捕逆回檔

乾隆四十六年，清軍平定蘭州回亂後，陝甘總督李侍堯查治新教餘黨，拆毀新教禮拜寺，吏胥騷擾肆虐，回民田五藉詞爲馬明心復仇，暗與新教，新舊教仇殺再起。田五密謀不軌，製造刀矛、號衣，預將家屬遷徙於石峯堡內。乾隆四十九年四月十五日，田五率回衆於甘肅塩茶廳屬小山地方起事，攻破西安城堡，清高宗命大學士阿桂等督率官兵進勦，克石峯堡，遂平回亂，勦捕逆回檔卽清軍進勦石峯堡新教回民期間軍機處抄錄承辦文書的重要檔册。國立故宮博物院現藏勦捕逆回檔計二册，自乾隆四十九年四月二十二日起至六月三十日止爲上册，同年七月初一日至九月二十一日止爲下册。內含寄信上諭、內閣奉上諭、奉旨、軍機大臣奏片及各種清單等。〈圖版壹〉奏片與奏摺性質相近，惟格式稍簡略。乾隆四十九年五月二十八日，抄錄軍機大臣奏片：「遵旨查從前甘省回匪滋事舊案，茲據國史館查明實錄內載逆回滋事係順治五年、六年間之事，並將事實抄錄前來，謹將原片進呈謹奏。」自清初至清季陝甘回民，迭起變亂，甚至引起中外交涉，清廷治回政策，亟待檢討。除奏片外，尚有咨、札等官方往來書信，俱爲重要文書。

勦捕逆回檔內抄錄頗多供詞，田五率回民起事後，清高宗詔逮總督李侍堯，由甘肅委員鳳翔等解至熱河，軍機大臣遵旨詳悉訊問。乾隆四十九年七月二十七日，軍機大臣問：「田五於今年正月內至靖遠哈得成家商同謀逆，公然於禮拜寺齊集新教回人，告知糾合情節，該犯等蓄謀既非一日，聚衆又非一人，且旗幟、帳房件件齊備，衆耳衆目共見共聞，你竟安坐省城，毫無覺察，這不是你養癰豢賊，貽悞地方麼？」據李侍堯供稱：「向來回民初一、十五俱齊集禮拜寺，從蘇四十三勦滅後，通省新教禮拜寺，概行拆毀，其舊教禮拜寺仍聽回民照常守奉，伊等亦俱自稱都是舊教，其齊集禮拜寺，遂習以爲常。本年田五等在寺內糾衆商同謀逆，訂期起事，係該犯等陰謀密約，不肯洩露於人，所以預先竟不能覺察。」又供「今年四月十五日，塩茶廳稟報，該屬小山地方回民田五起意謀逆，製有刀矛、號衣，約於五月初五日起事。我其時始知該犯等竟有逆謀，因回民李應得擧首，田五卽於是日攻掠西安城堡。」勦捕逆回檔內抄錄各類清單，例如乾隆四十九年六月二十七日載：「報田五謀逆，李應得、李化雄、李自本。報石峯堡賊人謀逆，馬世雄。」田五在小山地方起事前，出首回民除李應得外，尙有李化雄及李自本等人。五月二十九日，馬世雄奉有諭旨令福康安同李應得、李化雄、李自本俱酌量拔補千總，並送部引見。除田五以外，張文慶與馬四娃等亦係重要頭目。認眞念經者，回語稱爲「阿渾」，張文慶與馬四娃，就是爲首阿渾。軍機大臣遵旨派軍機章京將張文慶等密加研訊。據供「我們回人都是皇上的百姓，四十六年，蘇四十三經官兵勦殺，掌敎馬明心亦已正法，此事原因與舊敎爭敎而起，舊敎是我們新敎的仇人，今年田五在小山起事前聽見說是舊敎回子舉首的，所以我們越恨舊敎，立誓要與舊敎仇殺，後來聞得官兵勢大，恐怕要勦洗新敎，就逃往石峯堡藏躲。」張文慶又供稱「我係石峯堡大頭人，坐在馬四娃上頭，我會念經，馬四娃也會念經，五月初四日，本縣差役張金到草芽溝上來叫我父子幷三個掌敎，我因聽見人說剛大人要來洗回回，心上疑心，推病不曾去，張金就回去了，我就糾合庄上的人連夜逃上石峯堡。堡內先有姓馬、姓楊四五百家人家在裡頭住著，我住下三天，又有馬營住的馬四娃也進堡來，我同馬四娃就做石峯堡頭人，叫楊塡四、馬尙德、馬廷海帶領千數人去打通渭縣，問王太爺要還我的兒子、掌敎們，王太爺把我的兒子及掌敎放出，楊塡四等就把城門攻開，放火搶掠。」（註一七）馬明心是張文慶的姑父，田五是馬明心的徒弟，乾隆四十六年，馬明心伏誅後，新敎回民立誓要爲馬明心報仇，新舊敎仇殺不已，清廷袒護舊敎，勦洗新敎，務絕根株，新敎回民愈益懷恨，在官逼民反的號召下，田五等遂率衆起事。回黨李自黨亦指出「田五是馬明心徒弟，他要替馬明心報仇，所以造反，以便殺害舊敎。田五原約五月初五日起事，因被人告發，所以四月十五就反了。」如前舉數例，俱爲回民頭人口供，可以瞭解回民新舊教的對立，清廷的治回政策，回亂的原因，及清軍平亂的經過，因此，勦捕逆回檔實爲探討清代邊疆問題的罕覯史料。

八　安南檔

安南與中國疆域毗鄰，兩國關係，源遠流長。在地理上，實同一體，在文化上，同出一源，自秦漢以降，安南即置於中國郡縣直接統治之下，與內地並無區別。唐末五代以後，安南脫離中國而獨立，由內郡變爲藩屬，惟其歷朝君主對中國文教的推行，仍不遺餘力，修建文廟，開科取士，使用漢字，奉中國正朔，安南遂成爲儒家文化的分支。清人入關以後，安南與清廷仍維持宗屬名分，虔修職貢。但安南內部因陷於南北分爭的局面，廣南阮氏即舊阮控制南方，儼然爲一獨立國，北方鄭氏擅權，黎王徒擁虛位而已。清高宗乾隆年間，西山阮文惠兄弟即新阮崛起，既滅廣南，復敗鄭氏，攻陷東京，黎王出奔。清高宗以春秋伐叛之義，遣大軍聲罪致討，扶持黎王復位，實現濟弱扶傾，興滅繼絕的理想。惟清軍小勝而驕，疏於戒備，爲阮文惠所乘，清軍潰退。阮文惠抗拒於前，輸款於後，經四度乞降，清高宗遂册封阮文惠爲安南國王。阮文惠雖統一安南，然而未能澈底消滅舊阮殘餘勢力，阮光纘嗣統後，舊阮族裔阮福映假借外力以復國。是時清朝敎匪倡亂，會黨活躍，內亂方殷，安南海盜滋擾中國沿海，招集內地亡命之徒，辜恩納叛，淸廷嚴斥阮光纘，改變對安南的態度，當阮福映領兵北伐，擊敗西山阮氏，遣使納貢請封，淸仁宗即册封阮福映爲安南國王。安南檔即乾嘉年間，軍機處抄錄有關安南事件，以備存查的檔册。

淸代安南檔計三册，自乾隆五十三年六月十七日至五十四年七月十五日止爲第一册，計六三〇葉，因封面殘缺，且與方本上諭檔形式相近，故歸入上諭檔內，惟乾隆五十三年及五十四年分方本上諭檔春夏秋冬各季俱全，多出的這一册，並非按季抄錄裝釘，其體例與一般方本上諭檔不同，軍機處月摺包安南專案也是起自乾隆五十三年七月，時間相符，雖原檔封面已脫落，其應爲安南檔，似可確定。自乾隆五十七年至六十年止，爲第二册，原檔未遷運來台，全文曾刋載於「文獻叢編」。自嘉慶元年正月至同年十二月止爲第三册，國立故宮博物院現藏安南檔僅前述第一及第三册，計二册。安南檔內所錄多爲寄信上諭、明發上諭、奏片等，此外間亦抄錄檄諭、照會及詔敕等。各類文書俱由軍機大臣撰擬，或以內閣名義頒發，或冠以督撫全銜。例如乾隆五十三年八月二十七日，淸廷檄諭安南各鎭目同心協力爲黎王捍禦外侮，原文冠以雲貴總督全銜，書明「爲愷切傳諭事」字樣，文末書寫「須至檄諭者」字樣。暹羅與安南接壤，廣南地方與暹羅海道毗連，逋逃甚易，淸軍進討阮文惠後，恐其竄逸，故檄諭暹羅國王酌派兵力於廣南沿海地方遙爲聲援，原稿冠以「兩廣總督、廣東巡撫全銜」，書明「爲檄知事」字樣，文末書寫「須至檄者」字樣，其文字略異，俱屬檄諭一類的文書。乾隆五十四年五月初三日，軍機大臣擬寫頒發阮文惠勅諭一道，欽定發下後繙譯滿文進呈御覽，照例由內閣繕寫用寶，冠以「奉天承運皇帝勅諭安南阮光平知悉」字樣，文末書寫「特諭」字樣。其勅封安南國王稿亦由軍機大臣擬寫，六月二十二日，軍機大臣撰擬册封阮光平爲安南國王敕文呈覽後交內閣繕寫滿漢文，鈐用御寶，首書「奉天承運皇帝制曰」字樣。軍機大臣與各督撫間多使用「札」或「咨」，例如乾隆五十四年正月二十九日，安南檔抄錄咨文一件：「咨者現奉諭旨查許世亨有無子嗣，其子嗣曾否出仕，許提督係籍隸四川，爲此咨知大人即行詳悉查明，並將年歲開入名單速覆軍機處以便轉奏。如許提督現在並無子嗣，即將親弟姪查明開單覆知，大人不必專摺具奏也。此佈，順候近祺，不一。張朝龍係山西人，李化龍係山東人。照此札知各該撫。正月二十九日。」軍機大臣行文鎮道微員時則使用劄諭。安南檔內抄存各類文書，足見軍機大臣職責範圍的廣泛。

「文獻叢編」所刊安南檔共計二十五件，除字寄外，尚含軍機大臣議奏事件、勅諭、照會、供詞、及賞賜物件清單等。乾隆五十九年十月二十二日，軍機大臣將江蘇委員解到安南黎王族裔黎維治等詳加詢問，錄供呈覽。據供黎維治原名黎維溥，安南內亂後，黎王令其在清華糾兵恢復失土，黎朝覆亡後，輾轉投至廣西田州，以打聽黎王下落。原檔內抄出黎維溥親筆供詞，並附錄黎朝世系表，可改正清代官書的錯誤。「清史稿」以乾隆二十六年黎維禕薨，王嗣子黎維禑以訃告請襲封（註一八）。「明清史料」載「安南國王黎維禑告哀奏本」稱黎維禑先叔黎維禕於乾隆二十四年閏六月初八日違世，黎維禑以嫡姪承襲王位（註一九），俱誤以父襲子位。據黎維溥親書世系表所列，黎維禕爲國王黎維禑的長子，黎維祁爲黎維禕的長子（註二〇）。因此，探討中越關係，實不能忽視安南本身的記載。

九　廓爾喀檔

廓爾喀（Gurkha）位於後藏西南，其疆土與西藏犬牙相錯。在十八世紀以前，廓爾喀僅爲尼泊爾（Nepal）的一個部落，位於加德滿都西北，相距約六日路程（註二一），爲印度拉加普族（Rajputs）所建立的王國（註二二）。乾隆三十四年，廓爾喀王博赤納喇（Prithwi Narayan）乘尼泊爾內訌，舉兵征服諸部，遷都加德滿都，取得尼泊爾的領導權，建立新的王朝。博赤納喇卒後傳位其子西噶布爾達爾巴克，旋傳位於年僅四歲的王子喇特納巴都爾，因沖齡卽位，由其叔巴都爾薩野攝政。廓爾喀統一尼泊爾後，以後藏相距內地寫遠，淸廷鞭長莫及，曾先後兩次入寇西藏，第一次是在乾隆五十三年，第二次在乾隆五十六年。淸高宗爲永綏邊圉，命大將軍福康安等統率巴圖魯、侍衞、索倫、達呼爾及降番屯練等精銳勁旅入藏進勦廓爾喀，深入其境七百里，直逼加德滿都。廓爾喀進表乞降，接受册封，五年一貢，雖至淸末，仍虔修職貢。淸高宗對廓爾喀的用兵，不僅收復西藏失地，且鞏固了淸廷在西藏的統治權，在政治上提高駐藏大臣的地位與權力，在宗教上則採用金瓶掣籤的辦法，解決了此後宗教首領爭繼的問題（註二三），廓爾喀檔卽探討淸高宗降服廓爾喀的重要史料。

國立故宮博物院現藏廓爾喀檔計十三册，其中乾隆五十六年分共三册，五十七年分共九册，五十八年分一册。內含寄信上諭、明發上諭、知會、咨文、稟帖、檄諭及軍機大臣議奏事件。軍機處的廷寄，間亦改繕發抄。例如乾隆五十六年十月十八日軍機大臣擬寫寄信諭旨，進呈發下後，由六百里加緊分寄外，即將原稿以硃筆勾去，再改繕明發諭旨發抄，而冠以「內閣奉上諭」字樣。軍機大臣除議覆具奏外，多以奏片呈覽，例如乾隆五十七年七月初二日軍機大臣遵查康熙年間平定西藏舊案，其由西寧一路進發官兵，係命撫遠大將軍允禵率領，於康熙五十七年十二月十二日起程，駐劄西寧，至五十九年八月，平逆將軍延信領西路官兵由青海前進，屢次得勝，克復西藏。軍機大臣查明後，即繕片具奏。廓爾喀檔內抄錄了數件稟帖，乾隆五十七年二月二十三日，軍機大臣遵旨將譯出廓爾喀拉特那巴都爾沙瑪爾巴等呈寄鄂輝、成德稟帖及在藏呼圖克圖喇嘛等各信交大學士、九卿閱看。其呈鄂輝等原稟云：「拉特那巴都爾字，請鄂、成二位大人台安，我們這裡托庇甚好，從前唐古忒、廓爾喀搆衅起事之時，蒙各位大人立約講和後，因唐古忒不依前約，是以我們纔將丹津班珠爾圍困，帶兵至扎什倫布，今接二位大人來諭，一切領悉，但從前兩處之事，皆係二位大人所辦，今有如何訓諭之處，我們無不敬謹遵奉，為此謹具緞一方呈遞。」原稟為藏文，係一種書信。其致呼圖克圖全文如下：「拉特那巴都爾字寄噶嘛呼圖克圖，恭請文殊師利大皇帝萬安，你們將從前講和的話忘記，所許銀兩至今並未給領。當初立約，原說各守疆界，不可失信，彼此立誓，若定約之後，再生事相爭，便同畜類。今因你們不給銀子，故將丹津班珠爾拘留，仍在此好生安頓居住，並無別的意見，不過因你們背却前言，又致相爭，未免忿激，為此特具紅緞一疋，哈達一方呈寄。」（註二四）（圖版貳）廓爾喀入寇後藏時，理藩院侍郎巴忠以欽差大員名義赴藏查辦，將就了事，擅允西藏與廓爾喀私下解決紛爭，許銀贖地。廓爾喀聲稱「聶拉木等處是其搶得，現雖投順天朝，仍須藏裏多用銀兩取贖方肯退還，藏人等希圖完事，定議許給元寶三百個。」（註二五）

乾隆五十七年二月初六日，因鄂輝將四川叙馬營都司嚴廷良咨送到京，軍機大臣詢問藏內情形繕錄進呈。據稱「上年五月內保泰派噶布倫前往邊界一帶巡查駐邊的兵丁，彼時我聽那噶布倫說，此次起衅緣由，係與廓爾喀講論地租銀錢的事，他們彼此爭鬧的，我隨打聽係何項地租？爲何爭鬧？有唐古忒通事人等吵嚷說即係上次許給廓爾喀元寶的事。」二月二十三日，據南平營都司徐南鵬稱「五十六年六月間，前藏噶布倫往邊界巡察，聽得他們約廓爾喀的人到聶拉木講說給還地租銀錢之事，不料七月間廓爾喀人與噶布倫等彼此爭鬧，將噶布倫並教習漢兵二名一併裹去。我就詢問唐古忒人，據他們說從前藏內曾經許歸廓爾喀邊界地租每年議給元寶三百個。近來廓爾喀並要藏內使用他的新錢，因唐古忒沒有將元寶全行給予，又不肯使用他的新錢，所以爭鬧起來的。」廓爾喀檔內抄錄極多的供詞，乾隆五十七年閏四月十一日，西藏札蒼喇嘛羅卜藏策登等四名解到軍機處，軍機大臣派員連夜隔別熬訊，問羅卜藏策登云「上年廓爾喀滋擾扎什倫布，賊匪未到之前，你並不思率衆保護廟宇，反託言占卜無庸打仗，惑亂衆心，以致衆喇嘛先期逃遁，（下略）。」據供「我係聚巴扎蒼，年六十六歲，原是約束各扎蒼僧衆傳習經典的。我本係僧人，歷來全仗佛法護衛，聽得廓爾喀賊匪要來搶刦，就是急難到了，僧衆聚集商議，羅卜藏丹巴就去求吉祥天母的龍丹占卜，打仗好，不打仗好，占得不打仗好，羅卜藏丹巴就遵依天母的指示，一同告知衆人無庸打仗，各自逃散的，（下略）。」其占卜的方法，是寫作打仗好，不打仗好兩條，將糌粑和爲丸，放入磁器求卜，占得不打仗好一丸，衆人遂不戰而潰，人心渙散，廓爾喀遂輕易攻佔扎什倫布。乾隆五十七年六月三十日，問廓爾喀阿爾曾薩野，「廓爾喀佔據各部落是何時起的，地方大小實在如何？巴勒布及葉楞、廓庫木各王子的子孫現俱在何處？逐一供來。」據供「現在王子喇特納巴都爾的祖父博赤納喇做王子時佔據了巴勒布，搬到陽布地方居住，到如今有二十多年了。博赤納喇還佔搶過里雜布地方，爲廓爾喀東界，及至喇特納巴都爾是四歲上就做王子的，如今十七歲了，王子的叔叔巴都爾薩野管事，於上年八月又搶噶達哇拉西里納噶一帶地方，爲廓爾喀西界，約有二十天路程，大約東西地界較南北更爲寬長，這是我知道。」陽布又譯作雅木布，即加德滿都。咱瑪達阿爾曾薩野又將陽布的建築及其形勢逐一供出，城寨大小及要塞地方，俱有詳盡的吐述。至於廓爾喀的政治組織及軍事佈署，在阿爾曾薩野的供詞內報導尤詳，有助於敵情的認識。因此，廓爾喀檔所抄錄的珍貴原始資料，可以說是探討清高宗整理邊界的第一手史料。

十　苗匪檔

湘黔接壤地區，是苗人聚居地方，因漢民移徙日衆，苗地多爲客民所據，漢苗仇視，苗人遂倡言逐客民，以復故地，苗亂遂起。乾隆六十年正月，貴州銅仁府大塘山小營寨苗人石柳鄧等倡亂，湖南永綏苗民石三保、鎮箄地方苗民吳隴登、吳半生等俱各起兵圍攻廳城，旋陷乾州，川湘黔三省邊境，同時戒嚴。清軍進勦，道險難進，苗人負嵎自固，歷時數歲，至嘉慶二年，苗亂始平。苗匪檔即探討苗人起事原因及清軍平定苗亂經過的重要資料，國立故宮博物院現藏苗匪檔計自乾隆六十年二月至嘉慶二年四月止共八冊，除各類諭旨外，尚有知會、札諭、啓、劄及略節等文書。略節間亦作節略，即約略叙述事件的大意或要點，而用書面提出的文書（註二六）。苗匪檔內抄錄「勦辦乾州苗匪略節」、「勦辦當陽賊匪略節」、「勦辦灌灣腦賊匪略節」、「勦辦梓山龍門山賊匪略節」、「勦辦旗鼓寨賊匪略節」等，對歷次變亂始末及清軍平亂經過俱作扼要敘述。

苗匪檔內所抄錄的供詞，指出苗亂的原因及經過。湖南苗人百戶楊國安之子楊清被押解入京後，軍機大臣嚴加訊問，據供「我是湖南鳳凰廳強虎哨人，年二十五歲，父親楊國安充當鳳凰廳右哨百戶，管有九寨，共二百多烟戶。上年十二月二十八日，我父親往鴨保寨趕場囘家，說起鴨保寨百戶吳隴登的兒子吳老管、吳老黃、吳老鐵等計議要做放火打刼的事，吳隴登不許他們做的話，我父親那時在家商量，就要去稟官，因時已歲暮，又想着吳隴登從前五十年勾補寨苗子鬧事時，他曾經率衆殺了許多苗子，受過官賞袍套衣料，現在阻當他兒子自然不致鬧事，所以沒曾稟官，不料到今年正月二十三日果然吳老管們串通黃瓜寨苗人石三保從鴨保寨放火，一路焚燒，民人紛紛逃難。」清廷以楊清知情不報，於乾隆六十年四月初十日，降旨將其處絞。據兵丁林勝仲供稱，苗人是在乾隆六十年正月二十一日三更時候放火焚掠黑土寨附近地方，因山路叢雜，夜晚昏黑，官兵行動不便。二十二日黎明，湖南鎭筸鎭總兵官明安圖帶領兵丁三百餘人與苗子打仗，但苗子越殺越多，官兵彈盡援絕，明安圖與副將伊薩納等俱陣亡。據西成稟稱「苗子行走山路如猴子一般，十分便捷，就是最險峻無路處所，他們亦可以上下。」苗亂的原因，據苗目吳半生供稱「上年冬天，聽見各寨都出了癲子，發癲的時候，就拖刀弄鎗要殺客民。又說我們出了苗王，也不知是那一個。今年正月，苗子石三保糾約貴州的苗子石柳鄧，湖南的吳隴登，說苗子田地都被客民佔了，心裡不甘，聲言各寨的苗子都要幫他奪回耕種，所以遠近各寨都想趁此搶奪田地。石三保又邀同平隴的吳八月到黃瓜寨替他主謀，到處邀人，小的也就發起癲來。石三保就同蘇麻寨一帶苗子都說小的是吳王轉世，邀小的一同起事，凡有客民房屋一概燒了，搶的糧食就散給打仗的苗子做口糧。」軍機大臣以吳半生、石三保、石柳鄧、吳隴登等糾合苗衆，搶奪客民田地既多，且係湘黔兩省邊界，斷非倉猝起事，而將究竟起自何時之處嚴訊吳半生，據供「我們湖南永綏廳屬黃瓜寨與貴州松桃嗅腦等處俱係境壤，毗連松桃，又與四川之秀山交界，在在均係苗人居住，岩硐叢深。上年十月間各處苗子發癲嚷著要燒殺客民，奪回田土，到正月十六日，石三保、石柳鄧到黃瓜寨會集。吳隴登說若肯幫我們起事，不但可得田地，還可做官，遠近傳說，苗子就多聽信，分路前去燒搶，這實是石三保他們首先起意的。」其中吳八月是石三保的表兄，因會寫字，故由石三保寫立傳帖，以糾約各寨苗子。所謂吳王，即指吳三桂。據石三保供稱「苗子們從祖輩止知道有個吳三桂是吳王，所以說是吳三桂轉世，就號爲吳王的。」易言之，苗衆倡亂已非一日，苗民被客民盤剝，漸多失業，地方官審斷不公，遂敢於聚衆焚搶。

十一　供詞檔

清仁宗嘉慶年間，南會北教案件層出不窮。自嘉慶七年勘定川楚教亂後，白蓮教的活動，並未終止，其餘黨遍及諸省，嘉慶十八年，又有天理教之亂。直隸林清等率衆起事，河南李文成亦據滑縣舉叛旗，山東白蓮教徒皆起而響應。清軍平定天理教亂後，將各要犯檻送京師，嚴加鞫訊，錄供備查。國立故宮博物院現藏供詞檔計二册，嘉慶十八年九月及十月分各一册。內含林清、劉三、熊進才、龔恕、田馬兒、董幗太、陳爽、范采、劉進亭、高大、劉九、楊進忠、劉金、趙增、屈四、李潮、趙密、劉得山、高老、李老、盧喜、李洪、李玉隴、張老、穆七、張泳貴、李九、張泳瑞、王李氏、李蘭、劉潮棟、李明、祝林、劉五、安幗泰、王二格、賀萬金、金黑、邊富貴、李元隴、高五、劉狗兒、陳亮、王博、李三、李六、于吉慶、閻進喜、劉幅受、宋維銀、董幗雲、崇泳安、李奉全、張自聲、宋進耀、郭潮俊、高成、劉進才、閻正里、任奉聖、邊文良、朱套兒、張步高、陳紹榮、宋進榮、曹幅昌、孫發、韓達子、宋文登、張昆、陳鉅釧、安順、王文茂、裴明阿，王五、富慶、劉進得、李得全、王老、鄭漢魁等人。前列各要犯分隸直隸宛平縣、榮城縣、雄縣、滄州、通州、遵化州、大興縣、交河縣、固安縣、山西峙縣、江蘇陽湖縣、浙江紹興府山陰縣及各旗屬下之人，包括正藍旗、正黃旗、鑲白旗、正紅旗等，例如坎卦教頭目之一的陳爽就是正藍旗豫親王府包衣。就其職業而言，除多數務農外，尚包括其他行業，例如林清曾充南路廳巡檢司書吏，熊進才向在東四牌樓賣菓子營生，高大是楊進忠雇用的工人，劉金等當太監，穆七在武王侯衚衕十六公府當厨役，劉潮棟開設慶隆戲園爲生。各犯分屬榮華會、紅陽教、白陽教、龍華會、巽卦教、乾卦教、艮卦教、坤卦教、兌卦教、坎卦教、離卦教、震卦教等。

林清即劉興幗，直隸宛平縣黃村宋家庄人，嘉慶十一年，教頭宋景耀傳授林清「眞空家鄉，無生父母」八字眞經。是時劉呈祥掌坎教。嘉慶十三年，劉呈祥因邪教案被拏，犯案問徒，坎卦教無人掌管，教徒們公推林清掌坎卦。林清旋因陳懋功等控案牽連在保定，適有河南滑縣書吏牛良臣卽牛亮臣亦在保定結訟，彼此熟識，牛良臣告以滑縣李文成亦傳八卦教，林清往訪李文成時，李文成謂林清前世是「卯金」，所以改姓劉。林清既承繼劉呈祥的勢力，復改姓劉，以劉邦起兵滅秦相號召，旨在反清復明。林清等推算天書後指出彌勒佛有青羊、紅羊、白羊三教，此時白羊教應興，以羊字代替陽字，青羊即青陽，紅羊即紅陽，白羊即白陽。林清等遣教徒四出傳道，以歸教有好處，勸人入教，戒酒色財氣，不時念誦八字咒語，病症可痊，且免遭刧，愚民爲求福佑，以除災殃，遂紛紛聽從入教。據林清供稱，衆人推其掌教，先掌坎卦一股，後總領八卦，其中除坎卦外，其餘七卦俱由滑縣李文成所領，而以林清爲當家，七卦內有事，即報知林清。據稱林清是太白金星下降，應做天王，衞輝人馮克善應做地王，李文成應做人王，事成以後，由人王統治，至於天王、地王則同孔聖人與張天師一般。八卦人數，每卦多少不等，以震卦、離卦兩股人數最多，其中震卦各地領導人，滑縣是干克俊、磁州爲趙得一即趙大，長垣頭目爲賈士元、羅文志、衞輝頭目爲馮克善，手下人各有數百之衆；離卦一股，道口鎭頭目爲王休志，手下有一二千人，曹縣頭目爲許安幗，德州爲宋躍漋，金鄉爲崔士俊；順德府巽卦教頭爲楊遇三，宣化府乾卦頭目爲華姓之人，歸化城艮卦教頭爲王道漋，重慶坤卦教頭爲魏正中，潼關兌卦教頭爲王忠順。林清講教道理較深，勢力亦大，故爲總教主。衆教徒以奉天開道白小旗爲號，白布二塊，一塊拴腰，一塊蒙頭，口誦「得勝」。八卦教徒糾聚日衆，遂密議伺機起事，因「天書」上有「八月中秋，中秋八月，黃花滿地開放」之語，書中既有兩個中秋，據林清等推算，應指閏八月，嘉慶十八年九月十五日，正是第二個中秋，所以與李文成約定在九月十五日起事（圖版叁）。林清所領一股主要爲坎卦敎的人，由陳爽、陳文魁率領一百餘人，分東西兩路進入紫禁城，欲與河南一路趁回鑾時刼駕，因李文成一路未如期到達，事遂不成。宮廷太監劉得財、劉金、高廣幅、張泰、閻進喜、王幅祿等曾參與密謀起事會議，當陳爽率衆由宣武門、右安門、正陽門突入紫禁城後，太監曾從中引路，其中劉三一路由南西門、順城門至西華門外時，由太監張泰、高廣幅及劉姓等引進隆宗門。當龔恕率敎徒由南西門走進前門至東華門外南池子地方，內監劉得財先在酒鋪等候，指引進入東邊蒼雲門，據供引路的太監共有六人，都是敎內的信徒。韓書瑞（Susan Naquin）敎授所著「嘉慶十八年八卦敎派之起事」（Millenarian Rebellion in China：The Eight Tigrams Uprising of 1813）一書，曾充分運用供詞檔。

十二　勦捕檔

勦捕檔爲清代勦捕地方變亂抄存的檔冊，自嘉慶元年至同治十三年止，現存三三八冊，內含勦捕敎匪檔、摺片檔、川陝楚善後事宜檔、勦辦敎匪南山清檔等。在現存勦捕檔中，嘉慶二年、四年、五年、六年、七年分，同治二年至十三年分，每月一冊，全年十二冊，閏月增一冊，同治十一至十三年重繕一套，全年二十四冊或二十六冊。勦捕敎匪檔，嘉慶四年分計三冊，六年分計三冊，七年分計四冊。勦辦敎匪、南山清檔嘉慶十九年分計一冊。勦捕摺片檔，嘉慶二、三、五、六、七、十一、十二年分，各一冊。勦捕摺片檔是一種收文簿，將每日所收摺片摘由登記，以備存查，其性質與隨手登記簿相似，可以說是一種目錄。例如嘉慶五年正月初三日，「吳熊光摺」，計三件：「一覆奏遵查景安前在南陽辦理淅川；一完顏岱原稟查明景安前在南陽並淅川一案清單；一片一得雪分數，防堵豫省邊界。原檔是一種小方本，根據每日記錄，可以查閱每日奏摺件數及其內容。勦捕檔內間亦書明繕校、覆校人員姓名，例如嘉慶元年正月至三月分計一冊，共二三四葉，末葉書明「中書孫蘭枝恭繕校，中書譚用德恭詳校，中書薛凝度敬謹覆校。」勦捕敎匪檔係初繕本，勦捕檔則爲重繕本，清代以重繕本爲正本，而以初繕本爲副本或原本。例如勦捕敎匪檔嘉慶四年七月初一日起至八月十五日止爲一冊，共四〇八葉，八月十六日起至九月三十日止爲一冊，共一四四葉，重繕本改爲每月一冊，即七月分一冊，計一八八葉；八月分一冊，計二二八葉，九月分一冊，計一五〇葉。重繕本既經繕畢，即由校對人員將重繕本與初繕本對校改正。因其數量頗多，探討嘉慶與同治兩朝民亂，勦捕檔實爲重要檔冊，例如嘉慶年間的川楚白蓮敎亂，同治年間的髮捻之亂，歷時既久，糜帑尤鉅，勦捕檔記錄頗詳。

勦捕檔內抄錄的文書，種類亦夥，包括寄信上諭、明發上諭、知會、詔書、交旨、硃筆諭旨、咨文、箚、札、牌文、函啓、奏片等類。勦捕檔嘉慶十八年九月十八日分，抄錄「遇變罪己詔」，原詔略謂「朕以涼德，仰承皇考付託，兢兢業業，十有八年，不敢暇豫，即位初白蓮敎煽亂，四省黎民遭刼，慘不忍言，命將出師，八年始定。方期與吾赤子永樂昇平，忽於九月初六日河南滑縣又起天理敎匪，由直隸長垣至山東曹縣，亟命總督溫承惠率兵勦辦。然此事究在千里之外，猝於九月十五日變生肘腋，禍起蕭牆，天理教逆匪七十餘衆犯禁門，入大內，戕害兵役（下略）。」因天理教起事，仁宗下詔罪己。交旨是軍機大臣面奉諭旨而傳旨交辦的事件，例如嘉慶元年九月二十四日勦捕檔抄錄交旨一片，原文云「交兵部、順天府，現在奉旨派健銳火器二營二千名前赴河南一路勦捕賊匪，定於二十六日頭起啓程，分作八起，挨日陸續行走，每日兵二百五十名，官員在外，所有應需車輛馬匹等項，即照例速行預備，毋得拘泥專候直隸總督文到，以致臨期遲悞，有干參處，此交。九月二十四日午初。」札、劄與知會或咨文的主要差別，是因受文者職稱高低而異，凡織造、同知、知府、道員、按察使、布政使等飭行事件，即使用劄或札文，督撫部院用知會或咨文。牌查事件則指文報飛查時所用火牌，牌催驛遞軍營文報。

清代實錄館纂修歷朝實錄時曾取材於各種專檔，惟多經潤飾或刪略。例如嘉慶四年七月初一日丁巳，勦捕教匪檔抄錄諭旨二道，一爲寄信上諭，一爲內閣奉上諭，清仁宗實錄僅記載明發上諭一道，冠以「諭內閣」字樣，明發上諭原稿抄錄直省現有兵數、額設兵數、原派征兵數、續派征兵數、存營兵數、新募兵數等清單，實錄將原開清單俱行刪略。七月初三日己未，勦捕教匪檔抄錄寄信上諭三道，實錄僅載一道，內容多經刪略。其餘遞發參贊大臣副都統明亮等字寄二道，實錄未載，字寄內指出「軍營陋習，皆始於近年，內有和珅朦蔽，外有福康安、和琳、孫士毅等作俑揑報，」以致軍紀敗壞。諸將久握兵權，稽延時日，老兵糜餉，養敵自重，「賊氛」日熾，寄信上諭已充分指出乾隆末年以來的軍營積弊。經略將軍勒保所領滿洲兵丁不以防守爲事，在城內佔住民房、酒肆，歌唱喧鬧，驕惰滋事。嘉慶四年十月初四日，寄信上諭逑及外委孫起鳳稟稱「自五月至八月祇有鄉勇殺賊四名，官兵未與賊打過一次，亦未見過賊匪。」交戰時既以鄉勇爲前鋒，旗兵在後，官兵與敵人不相值，鄉勇傷亡，匿而不報，偶或得勝，則冒爲己功，滿淸的經制兵腐敗至極，亂事蔓延益廣。

勦捕檔內抄錄頗多的供詞，例如嘉慶元年四月初九日，白蓮教徒聶傑人供出山西樂陽縣人李犬兒是「神將轉世」，同教的人都要保護他。聶傑人父子俱拜湖北宜都縣人張正謨爲師，是年九月二十四日，張正謨等被解送入京後，軍機大臣派人連夜審訊，據供「李犬兒是戊戌年生的，兩手有日月兩字，相貌異人，劉之協是軍師，朱九桃是輔佐。他的那王家莊有大石一塊，忽然迸開，現出經文，有一旦夜黑風起，吹死人民無數，白骨堆山，血流成海四句，衆人若念熟了就可免災。」（圖版肆）李犬兒住在長春觀，曾傳符一道，有「貫寸長」三字，是倒隱長春觀的地名。據劉之協供出每日所誦經咒是「從離靈山失迷，家住在娑婆苦痛殺，無生父母稍書信，特來請你大歸家」四句。劉之協又供稱「我們的教名，本是天主教，後名三陽教。」劉之協以劉四兒爲彌勒佛轉世，以輔佐牛八。以牛八代替朱姓，藉反淸復明相號召，白蓮教每託名牛八，指稱前明後裔。劉之協又供稱湖北的白蓮教是由其本人所傳，四川的白蓮教則由王廷詔等所傳。「彼此商定原約嘉慶元年三月初十日是辰年辰月辰晨時，所有入教的人一齊起事，爲的是興旺意思，原想用一色支干使同教人看得新奇，好信服。」「我傳習的經文記得不全，只記得經文內說天是一大天，人是一小天，人身雖小，配合於天，天道運行，金木水火，人性所學，仁義禮智。天有十二時，人有十二相，天有風雲雷雨，人有喜怒哀樂，天生乎人性，人心不合於天，今人好善以相而求，皆不得其善，善是學也，學是性也，性是德也，德性者循理而來也，從來有簡明之路，人錯認了，儒書從新指點出來。天命之謂性，天命者三教之根本也，人性者氣象之源也。孔子曰：非禮勿視，非禮勿聽，非禮勿言，非禮勿動，此四者人身之用也，由乎中而形乎外制於外，所以養其中也。中正之道，人人本有，個個不知，豈不然哉，豈不痛哉，且爲人者，須把性理終窮，不明性理，不明事理，枉爲人矣。道者性理所發也，氣者性之流行也，且學君子術者能知生前來路，死後歸結，以下就記不得了，是伍公美、王學瑚從劉松處傳來，我念熟了，就念給人聽，識字的也都念得來，念了這經文，死了不轉四牲六道的是實。」據張效元供稱，白蓮教徒「以身穿靑藍衣服，頭頂三尺藍布，腰纏三尺藍布爲外號，又以傳誦的歌詞天上佛、地上佛，四面八方十字佛，有人學會護身法，水火三災見時無作爲內號。」勦捕檔內所錄供詞甚夥，對研究白蓮教的信仰、組織及起事經過，俱可提供極珍貴的原始資料。至於清廷平定地方變亂的經過，征調兵丁，動撥庫帑，籌辦軍需等項，勦捕檔記錄亦極詳盡。

十三　結　論

國立故宮博物院現藏清代專案檔，約可分爲三類：一爲清廷用兵隣封整理邊界的檔册，內含緬檔、安南檔、廓爾喀檔等；一爲勦辦白蓮教及髮捻等內地民亂的檔册，內含東案檔、東案口供檔、林案供詞檔、勦捕檔等；一爲平定少數民族之亂的檔册，內含金川檔、苗匪檔、勦滅逆番檔、勦捕逆回檔等。清高宗承康熙、雍正盛世餘緒，國家物力豐盈，惟因邊境不靖，蠶食疆界，清高宗或爲永綏邊圉，或爲興滅繼絕濟弱扶傾，遣兵聲罪致討，以維持東南亞的和平秩序，並非好大喜功窮兵黷武的表現，緬檔、安南檔、廓爾喀檔等檔册，於清高宗用兵始末及處理屬邦問題的態度，皆可窺知其本意。乾嘉年間，一方面由於生齒日繁，生計日艱，一方面由於滿漢種族意識的復活，漢人紛起抗清，南會北教秘密結社的活動日趨活躍。南方天地會以異姓結拜，歃血飲酒，傳授口訣暗號，以反清復明爲宗旨，密謀起事，天地會反滿案件遂層出不窮。白蓮教假藉釋民，盛行於北方民間，揚言刼數將至，凡口誦「眞空家鄉，無生父母」八字眞經者，卽可逢凶化吉，消除災禍。當新的千福年降臨時，卽可結束人世間的罪惡，返回淨土。清仁宗「御製邪教說」曾指出「白蓮教之始，則爲騙錢惑衆，假燒香治病爲名，竊佛經仙籙之語。衣服與齊民無異，又無寺廟住持，所聚之人，皆失業無賴之徒，所以必統爲盜賊，是又僧道之不若矣。」（註二七）失業民衆，迫於生計的艱窘，在白蓮教的煽惑之下，民亂遂不可遏抑，各供詞檔所述白蓮教收徒傳道，計議起事經過，實爲探討地方變亂的直接史料。清初踵明遺規，於西南邊區仍採「以夷治夷」之策，廣置土司，世宗雍正年間，將湘黔苗疆改置流官，惟於治理苗人並未提出積極的政策，苗疆漢化的結果就是漢人勢力的與日俱增，漢人客民與苗子土著或因買賣生理，或因開墾苗地，以致漢苗仇視，放火搶掠。苗亂因而擴大，苗匪檔就是探討漢苗問題的珍貴資料。至於金川事件，與苗亂情形相似，蜀西地方向設土司以爲羈縻，但因地險碉堅，各土司每負固據險，攘奪仇殺，叛服無常，刼掠漢民，清初治理邊疆少數民族究不可謂爲成功。清軍平定回部後，其治回政策亦不算成功，滿洲大員貪墨昏庸，虐待回民，對於回人新教與舊教之爭，未能秉公處理，其激起叛亂，已非一日，自清初至清末，陝甘回亂，迄未蕩平，甚至因回亂導致中外交涉。欲探討清季回亂的由來，必先瞭解清初以來的治回政策及回亂背景，勦捕番回檔即為研究清代回民問題的罕見資料。國立故宮博物院現藏清代檔案中有關邊疆方面的資料，相當豐富，除宮中檔奏摺原件、軍機處月摺包奏摺錄副、上諭檔、月摺檔、外紀檔及寄信檔以外，各種專案檔仍不失為一種珍貴史料。

註釋

（註　一）張德澤撰「軍機處及其檔案」，文獻論叢，論述二，頁七一至七二，民國五十六年十月，台聯國風出版社。

（註　二）「緬檔」，乾隆三十三年分下冊，頁一五五，十一月初四日，檄諭。

（註　三）拙撰「清高宗時代的中緬關係」，大陸雜誌，第四十五卷第二期，頁二四，民國六十一年八月。

（註　四）拙撰「清高宗兩定金川始末」，大陸雜誌，第四十六卷第一期，頁一，民國六十二年一月。

（註　五）梁章鉅纂輯「樞垣記略」，卷一三，頁一二，文海出版社，民國五十五年十月。

（註　六）「大清高宗純皇帝實錄」卷八百九十，頁一五，乾隆三十六年八月初八日丙子諭軍機大臣等。

（註　七）「金川檔」，乾隆三十六年分，下冊，頁二四。

（註　八）拙撰「清代上諭檔的史料價值」，故宮季刊，第十二卷，第三期，頁六〇，民國六十七年春季。

（註　九）拙撰「清世宗與辦理軍機處的設立」，食貨月刊，第六卷，第十二期，頁二〇至二五，民國六十六年三月。

（註一〇）軍機處月摺包，第二七六五箱，九五包，一八八九六號，乾隆三十七年十二月初一日，溫福奏摺錄副。

（註一一）「金川檔」，乾隆三十八年秋季分，頁七五至八三，七月初十日，木果木失事文武官員兵丁清單。

〔註一二〕蕭一山著「清代通史」，㈡，頁二四四。

〔註一三〕「大清高宗純皇帝實錄」，卷九六六，頁一八，乾隆三十九年九月丙辰上諭。

〔註一四〕同前書，卷九六七，頁五三，乾隆三十九年九月二十七日丁丑。

〔註一五〕「清代通史」，㈡，頁二四六，將「撒拉爾」誤作「徹拉爾」，總督勒爾謹誤作「勒爾錦」，蘭州知府楊士璣誤作「楊士機」。

〔註一六〕「勦滅逆番檔」，上冊，頁三三，乾隆四十六年四月初一日，馬雲稟詞。

〔註一七〕「勦捕逆回檔」，下冊，頁一八五。供詞內所稱剛大人即甘肅提督剛塔，新教回民頭人馬四娃，「清代通史」誤作馬四圭。

〔註一八〕鑄版「清史稿」，屬國傳二，越南，頁一六五三，香港文學研究社。

〔註一九〕「明清史料」，庚編，第一本，頁六五。

〔註二〇〕「文獻叢編」，上冊，安南檔，頁四一八，民國五十三年，三月。

〔註二一〕「欽定廓爾喀紀略」，卷二九，頁一。

〔註二二〕周祥光著「印度通史」，頁一一八。民國五十二年二月，九龍自由出版社。

〔註二三〕拙撰「清高宗降服廓爾喀始末」，大陸雜誌，第四十三卷第二期，頁六一，民國六十年八月。

〔註二四〕「廓爾喀檔」，乾隆五十七年二月二十三日，頁一三一，拉特那巴都爾書信。

〔註二五〕「欽定廓爾喀紀略」，卷一八，頁八。

〔註二六〕拙撰「清高宗乾隆朝軍機處月摺包的史料價值」，故宮季刊，第十一卷，第三期，頁三一，民國六十六年春季。

乾隆三十八年八月初七日奉

上諭前因阿桂在當噶拉軍營外援最關緊要因令英泰帶領續調黔兵迅往策應令阿桂久經回至翁古爾壟英泰自無庸復往況伊已於清溪路遇將軍令其仍回南路軍營現無應辦要務或因接奉前旨亦止須照常附報覆奏即用六百里尚屬過當乃竟用加緊遞送致疲驛站馬力何不曉事若此英泰著傳旨申飭欽此

軍機大臣遵

旨傳諭四川建昌鎮總兵英泰

Plate 1. Court Letter (September 22, 1773)

圖版貳：內閣奉上諭（乾隆三十八年八日初六日）

乾隆三十八年八月初六日內閣奉
上諭據阿桂奏寧夏鎮總兵張玉琦前令其帶兵留防曾
格宗後路因賊番欲犯僧格宗經副都統舒景安督率滿
兵沖擊該鎮並未出營打仗是僧格宗之得以保護無失
寔由續派之舒景安及侍衛官員等奮勉戰守所致該鎮
張玉琦寔屬庸懦無能請革職留營効力等語張玉琦著
革職仍留軍營自備資斧効力贖罪欽此

Plate 2. Edict promulgated through the Grand Secretariat (September 21, 1773)

辦理軍機處為移咨事現在副將軍公豐　遵
旨前往日隆與將軍阿　有會同商辦事務現留叅贊舒
在宜喜軍營辦事已奉有
諭旨給與
欽差大臣關防特此咨會
貴部即將
欽差大臣關防一顆封固交兵部六百里由驛遞送至宜喜
軍營交收仍將何日由京發給起程之日知照軍機處
可也須咨

八月二十九日

Plate 3. Intra-government Lateral Communication (October 14, 1773)

辦理軍機處為知照事所有陝西興漢鎮張大經陣亡

員缺業經本處

奏明奉

旨令將軍在軍營出力人員內揀選奏補在案相應知會

貴將軍遵照辦理可也須至咨者

右　咨

定西將軍

Plate 4. Intra-government Lateral Communication (1773)

圖版伍：奏片（乾隆三十八年九月初二日）

臣等遵
旨查寄信阿桂查明海蘭察博清額有無率先奔逃之事并
查劉秉恬未撤防兵之語
諭旨一道於七月二十一日發往昨阿桂八月二十八日奏
到之摺已將查明鄂克什之棄而不守非因劉秉恬撤
出此項兵丁所致似亦無庸深究等語奏覆其海蘭察
博清額有無率先奔逃情節想因其事更須詳確嚴查
是以未能一同覆奏俟下次寄信阿桂時臣等將此敘
入詢問謹
奏

九月初二日

Plate 5. Grand Council memorandum submitted to the Emperor (October 17, 1773)

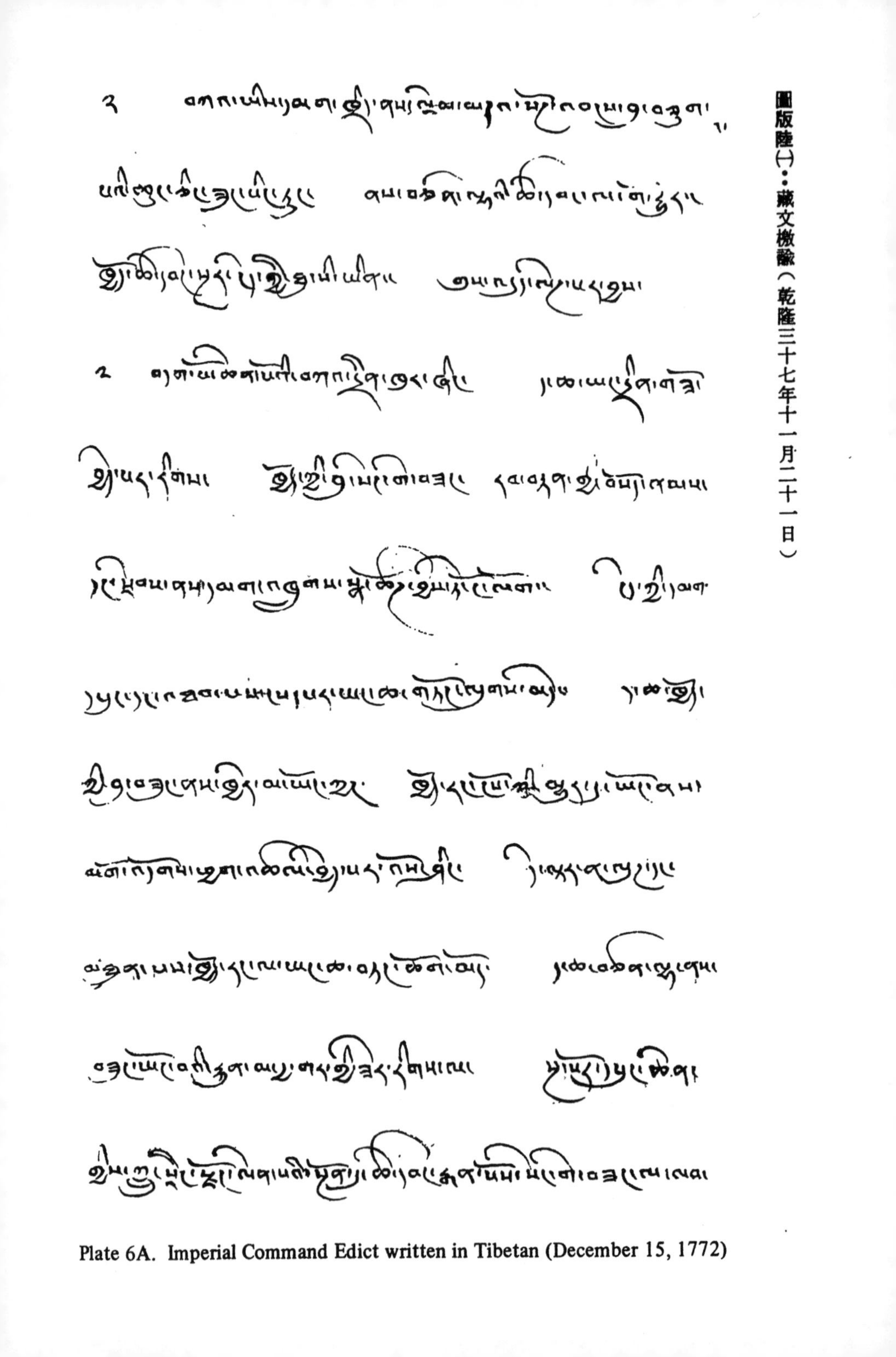

圖版陸(一)•藏文敕諭(乾隆三十七年十一月二十一日)

Plate 6A. Imperial Command Edict written in Tibetan (December 15, 1772)

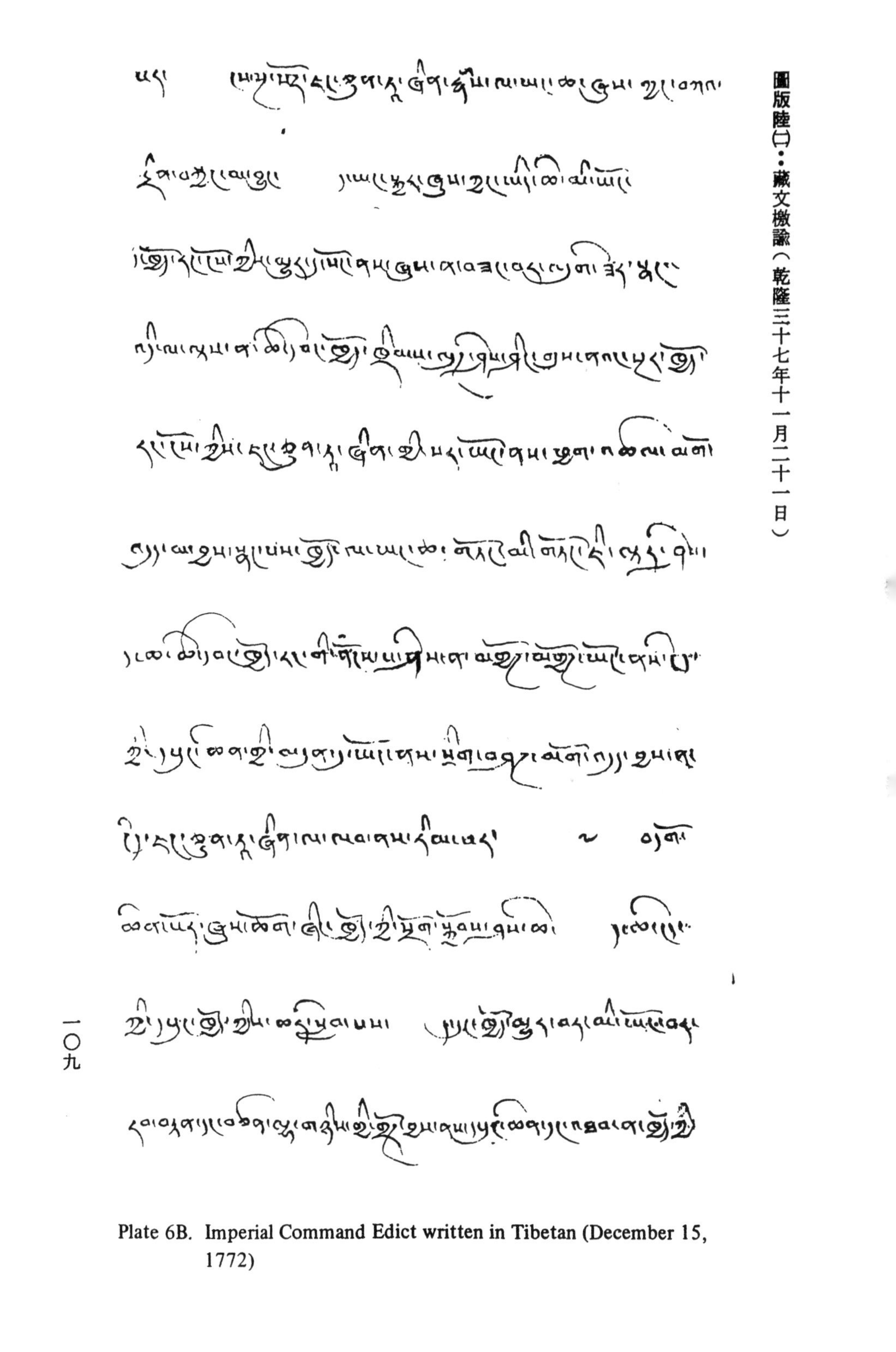

Plate 6B. Imperial Command Edict written in Tibetan (December 15, 1772)

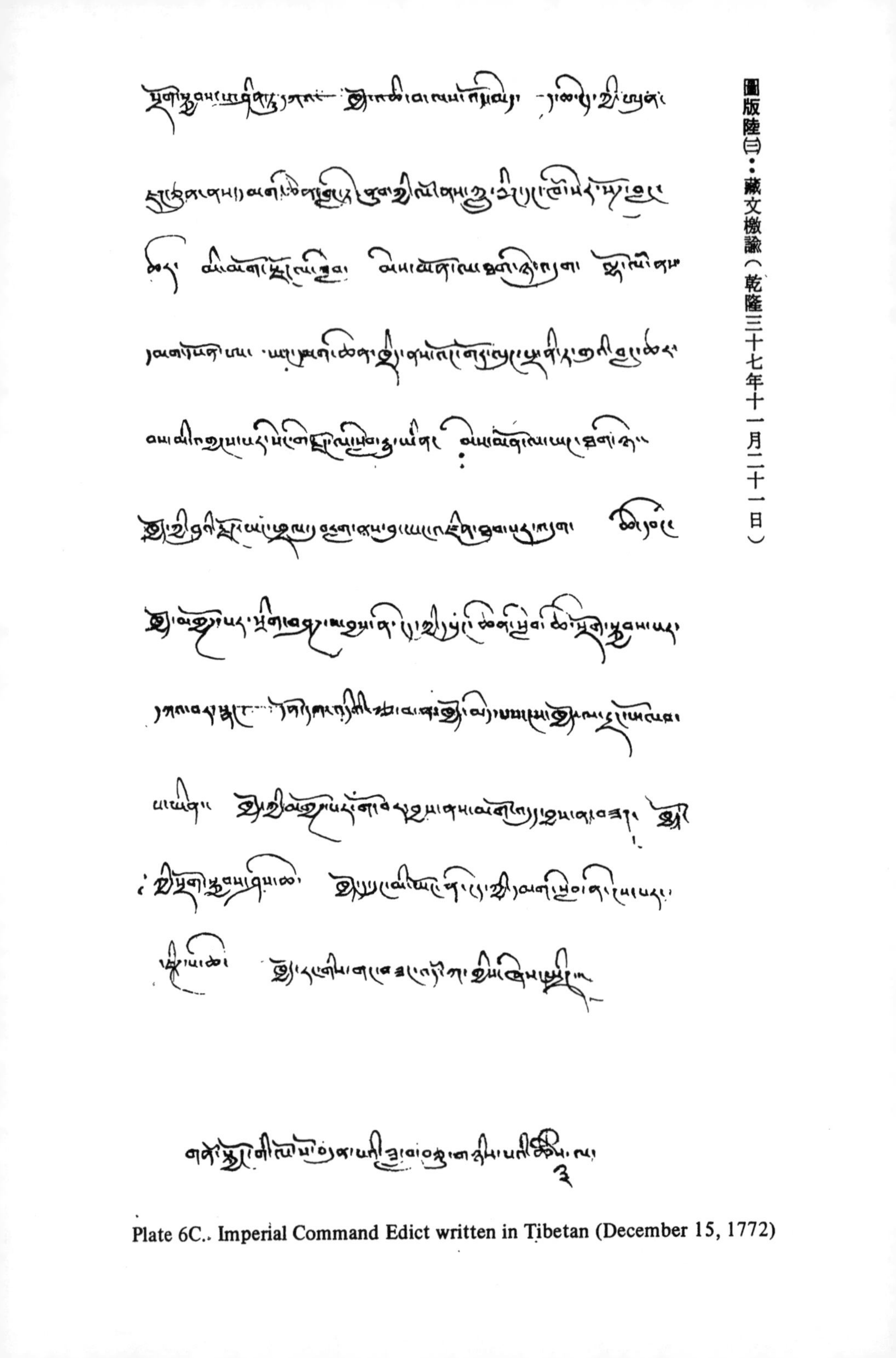

圖版陸(三)•藏文檄諭（乾隆三十七年十一月二十一日）

[illegible]

Plate 6C.. Imperial Command Edict written in Tibetan (December 15, 1772)

張文慶為首阿渾曾在髙廟山等處打仗

馬四娃為首阿渾性兇好殺現仍狡供不吐

楊填四曾攻通渭縣城馬建幾等與其約降伊屢次反悔現仍反覆翻供

馬建成曾在石峯堡為小頭目因投出被馬四娃手刃三傷

馬壯因伊子馬金玉從賊伊聞大兵一到即先行投出並未打仗

馬見幾即係奏明可寬者

Plate 7: Name list of Moslem rebel leaders (September 30, 1784)

拉特那巴都爾字寄
噶嚨呼圖克圖恭請
文殊師利大皇帝萬安你們將從前講和的話忘記
所許銀兩至今並未給領當初立約原說各守
疆界不可失信彼此立誓若定約之後再生事
相爭便同畜類今因你們不給銀子故將丹津
班珠爾拘留仍在此好生安頓居住並無別的
意見不過因你們背却前言又致相爭未免忿
激為此特具紅緞一疋哈達一方呈寄

Plate 8: Letter From the Gurkha King (March 15, 1792)

圖版玖(一)•林清供詞(嘉慶十八年九月十九日)

林清供我先前入教原希圖歛錢後來因我會
說話眾人推我掌卦又後來出了卦就總領了
八卦那滑縣的李文成除坎卦外七卦俱是他
領的七卦內有事李文成須來報我我又見攏
的人多就起意謀逆我們推算天書彌勒佛有
青羊紅羊白羊三教此時白羊教應與眾人說
我是太白金星下降又說我該做天王有衛輝
的馮克善該做地王李文成該做人王將來事
成之後天下是人王的天王地王就同孔聖人
張天師一般天書上又說八月中秋中秋八月
黃花滿地開放我們想今年該閏八月這九月
十五正是第二個中秋合該應運所以與李文

Plate 9A: The Confession of Lin Ch'ing (October 12, 1813)

成約定在九月十五日起事彼此聚會我預先
布置叫陳爽陳文魁帶了一百來人分路先進
紫禁城原想這邊得了手我就同河南來的一股
趁
回鑾之時迎上前途鬧事不想李文成一路不到我
也沒法了至我附近一帶從教的原只二百來
家我已挑了一百多人進京剩下的老弱婦女
不能濟事所以陳爽等之外實無多餘的人豈
能再派人在城中藏伏呢這八卦的人每卦多
少不等震離兩卦人數最多滑縣頭目于克俊
磁州頭目趙得一長垣頭目賈士元羅文志衛
輝頭目就是馮克善手下人各有幾百名這都

Plate 9B: The Confession of Lin Ch'ing (October 12, 1813)

張正謨供是湖北宜都縣人年三十五歲父母
俱故兄弟四人我排行第三乾隆五十九年
四月裏我拜房縣的白培相為師他說山西
平陽府樂陽縣王家莊長春觀有個李犬兒
是戊戌年生的兩手有日月兩字相貌異人
劉之協是軍師朱九桃是輔佐他的那王家
莊有大石一塊忽然迸開現出經文有一日
一夜黑風起吹死人民無數白骨堆山血流
成海四句衆人若念熟了就可免災李犬兒
到辰年辰月辰日起事大家須暗地製備刀
鎗火藥將來事成定有好處又傳符一道有
貫寸長三字是倒隱著長春觀的地名我當

Plate 10A: The Confession of the White Lotus leader Chang Cheng-mo (October 25, 1796)

圖版拾(二)・張正謨供詞（嘉慶元年九月二十五日）

時就轉傳曾應懷並堂兄張正榮又叫他們
各處轉傳人數就漸漸多了今年正月初七
日聽見縣裏差人查拏邪教我就邀同劉洪
錦劉方萬家相聚了一千多人在聶傑人家
起事拒捕隨即搬到江家墙搭棚居住彼時
張宗文劉盛鳴劉洪鐸已先在那裏因地勢
不甚險要大家纔搬到灌灣腦的屢被官兵
勦殺自聶傑人投出後大衆原想投出因張
宗文用言嚇阻心裏害怕是以抵死抗拒原
想各處同教的人前來救應那知都被官兵
截殺實在計窮力竭跪地求饒的是實
劉洪鐸供係湖北宜都縣人年二十五歲父親

Plate 10B: The Confession of the White Lotus leader Chang Cheng-mo (October 25, 1796)

清代起居注册的編纂及其史料價值

一　前　言

起居注是官名，掌記注之事，記述皇帝的言行。起居注官所記之文，稱爲起居注册，係一種類似日記體的史料（註一）。其體例起源甚早，周代已設左史、右史之職。漢武帝時，禁中有起居注，由宮中女史任之。王莽時，置柱下五史，聽事侍旁，記載言行，以比古代左右史，後漢明帝、獻帝時俱有起居注。魏晉時，著作郎兼掌起居注，後魏始置起居注令史，隋更置起居舍人。唐代又置起居郎，即左史，起居舍人，即右史，記注言動，以當古代左史記言，右史記事之職。唐代記注體例，是以事繫日，以日繫月，以月繫時，以時繫年，並於每季，彙送史館（註二），大唐創業起居注殘本，保存至後世。宋代仿唐制，仍以起居郎及起居舍人爲左右史，分掌記注，其制度更加詳備。宋代以降，因君權擴大，起居注但記皇帝善事。元代雖設起居注，惟所記皆臣工奏聞事件，不記君主言動。明代洪武初年即置起居注，宋濂曾撰明太祖起居注册。河北省立圖書館藏有萬曆起居注册，其後又陸續發現泰昌、天啓等朝起居注册。清初沿襲前明舊制，亦置起居注，本文撰寫的目的卽在就國立故宮博物院現藏清代起居注册，以探討起居注官設置的經過，起居注册編纂的情形，及其史料價值，俾有助於清史的研究。

二　太宗文皇帝日錄的編譯

滿洲入關前，已有類似歷代起居注册的記錄。天聰三年（一六二九）四月，太宗欲以歷代帝王的得失爲借鏡，並記載皇帝的言行，特設文館，命滿漢儒臣，繙譯記注。分爲兩直：巴克什達海、筆帖式剛林、蘇開、顧爾馬渾、托布戚等人，繙譯漢字書籍，卽日講官所由始；巴克什庫爾纏、筆帖式吳巴什、查素喀、胡球、詹霸等人，記注政事，此卽起居注官所由始（註三）。天聰十年（一六三六）三月，改文館爲內三院，卽內國史院、內秘書院、內弘文院，分任職掌。其中內國史院的職掌爲記注皇帝起居詔令，收藏御製文字等事，內弘文院則註釋歷代行事善惡，進講御前，侍講皇子等事（註四），起居注與日講各自爲職。

太宗文皇帝日錄的體例，與後來的起居注册，已極相近。羅振玉輯錄「史料叢刊初編」內所刊太宗文皇帝日錄殘卷，包括天聰二年正月至十二月全年分，及崇德六年六月分。其中記載，有不見於實錄者，例如天聰二年五月初五日，日錄云「阿敏貝勒未奉上旨，私以其女與八林部塞忒爾太吉爲妻。」（註五）太宗實錄初纂本及重修本，俱不載其事。據「舊滿洲檔」的記錄云「Sunja biyai ice sunja de amin beile ini sargan jui be han i hese akū ini cisui barin i seter taiji de sargan buhe.」（註六）由此可知日錄是據滿文舊檔五月初五日的記事，譯出漢文。史事日期，日錄與實錄的記載，間有出入者。例如天聰二年，朝鮮國王遣總兵官李蘭等齎國書並貢春季禮物，實錄將其事繫於是年二月初二日，日錄則繫於二月初八日。日錄載二月初八日「上遣使往哈喇親部，被查哈喇部多羅忒截殺凡兩次。上命貝子群臣戒之曰，此番而來者，皆精選兵丁，安得多人，當相機行之，愼勿滋亂。」重修本實錄將此段記載分繫於初八日庚子及初九日辛丑：「庚子，以遣往喀喇沁使臣，爲察哈爾國多羅特部落兩次截殺，上親率偏師，往征之。辛丑，上召集諸貝勒大臣，諭曰：此行皆選精銳以往，兵不甚多，當出奇制勝，爾等誡諭軍士，嚴明紀律，勿得輕進。」「舊滿洲檔」載二月初八日申刻啓程征討察哈爾，次日，戒諭諸貝勒大臣。實錄所載，與滿洲舊檔相合。日錄內所載人名地名，其漢字譯音，尙未畫一，與太宗實錄初纂本及重修本，多不相同。例如天聰二年二月初一日，日錄略謂「我主布言阿海率兵十萬至時，查哈喇三千人，至八演速白地索賞于漢人。」太宗實錄初纂本云「我汗與布顏台吉率十萬兵回，正遇插漢兒兵三千，從宣府請賞。」太宗實錄重修本云「我汗與布顏台吉率兵十萬回時，復値察哈爾兵三千人，赴明張家口請賞。」滿洲舊檔原文云「meni han hong taiji juwan tumen cooha gaibi jihe. tere jidere de caharai ilan minggan niyalma bayan sube de sang gaiki seme dosibi 。」日錄所言「八演速白」，即張家口，是據滿洲舊檔「bayan sube」，按滿洲語讀音譯出漢字。由於太宗日錄多未經潤飾，其內容亦較豐富，仍不失爲滿洲入關前的一種珍貴史料。

三　起居注官的設立

清初內國史院的職掌，並不限於記注皇帝起居，此外尚須編纂史書，撰擬表文，纂修歷朝實錄，亦未正式確立起居注官的名稱。世祖定鼎中原後，臣工屢次疏請設立起居官。順治十年正月，工科都給事中劉顯績奏稱「自古帝王，左史記言，右史記動，期昭示當時，垂法後世。我皇上種種美政，史不勝書，乞倣前代設立記注官，凡有詔諭，及諸臣啓奏，皇上一言一動，隨事直書，存貯內院，以爲聖子神孫萬世法則。」（註七）順治十二年正月，大理寺少卿霍達以世祖正當及時力學年齡，疏請專設日講官，取大學、論語，帝鑒圖說、貞觀政要、大學衍義等書，令講官日講一二章。臣工一方面疏請設立起居注官，一方面又疏請另置日講官，以復前代舊制。

康熙七年九月，內秘書院侍讀學士熊賜履疏稱「皇上一身，宗廟社稷所倚，中外臣民所瞻仰。近聞車駕將幸邊外，伏乞俯採芻言，收回成命。如以農隙講武，則請遴選儒臣，簪筆左右，一言一動，書之簡冊，以垂永久。」奉旨云「是，朕允所奏，停止邊外之行，所稱應設起居注官，知道了。」據清會典的記載，康熙九年，始置起居注館於太和門西廊（註八）。但據清實錄的記載，清代正式設置起居注官是始於康熙十年八月。是月十六日，實錄云「設立起居注，命日講官兼攝，添設漢日講官二員，滿漢字主事二員，滿字主事一員，漢軍主事一員。」（註九）起居注官既以日講官兼攝，則日講與起居注已逐漸結合，稱爲日講起居注官。掌院學士以下，坊局編檢以上，侍講、侍讀等俱得開列請簡，充任記注官。

每日二員侍直，將應記之事，用滿漢文記注。起居注衙門的編制包括滿洲記注官四員，漢記注官八員，清文主事一員，清漢文主事二員，漢軍主事一員，清文筆帖式四員，漢文筆帖式四員，漢軍筆帖式四員。康熙十一年，增設清文筆帖式四員，清漢文筆帖式二員。十二年，增設滿洲記注官一員，漢記注官二員。十六年，增設滿洲記注官一員。二十年，增設漢記注官八員。至此，滿漢記注官共二十二員，日直記載，俱應會同校閱，其起居注冊，則例應會同內閣諸臣看封儲庫。康熙三十一年，裁漢記注官六員。三十八年，裁滿漢主事各一員。

康熙五十五年，兩江總督郝壽具摺奏請寬免江南舊欠錢糧。聖祖有欲蠲免江南錢糧之意，故諭令繕本具題，但當郝壽具題後，聖祖始知郝壽受人囑託，彼此私同商定，且西邊正值軍需孔殷之時，故未准所請，照部議分年帶徵。康熙五十六年三月間，記注官陳璋等查閱檔案，欲將聖祖未行蠲免舊欠錢糧，前後諭旨不符之處，指出書寫。聖祖以起居注官所記事件，難於憑信，降旨令九卿議奏。是年四月，將陳璋等革職。康熙五十七年三月，聖祖以記注官內年少之員甚多，官職卑微，不識事體輕重，或遺漏諭旨，或私抄諭旨，攜出示人，且朝廷已有各衙門檔案，不必另行記載，起居注官應如何裁革之處，令大學士會同九卿議奏。大學士、九卿等遵旨會議具奏，略謂「皇上手書諭旨及理事時所降之旨，幷轉傳之旨，各處俱有記載檔案。又如本章所批諭旨，六科衙門既經記載發抄，各部院又存檔案，歷可稽查。且記注官多年少微員，或有事關重大者，不能全記，以致將諭旨舛錯遺漏，又妄行抄寫與人。倘伊等所記之旨，少有互異，關係甚鉅，應將起居注衙門裁去。」（註一〇）奉旨允從後，起居注官即被裁革。

自古帝王臨朝施政，右史記言，左史記動，蓋欲使君主一舉一動，俱著爲法則，垂範後世。世宗卽位後，爲示寅畏小心，綜理庶政，舉措允宜起見，又令翰林院恢復日講起居注官，如康熙五十六年以前故事，於世宗視朝臨御，祭祀壇廟之時，令滿漢講官各二人侍班，除記載諭旨政務外，所有君主一言一事，皆令書諸簡册。復於太和門西廊設起居注館，除滿漢記注官員，仍照康熙三十一年舊例設立外又設滿洲主事二員，清文筆帖式八員。雍正十二年，增設漢主事一員，於進士或舉人出身的內閣中書揀選引見補授。乾隆年間以降，起居注衙門的人員續有變動，其中記注官，滿洲八員，漢十二員，以翰林、詹事官充任，均兼日講官，掌侍直起居，記言記動。主事，滿洲二員，漢一員，掌出納文移，校對典籍。筆帖式，滿洲十四員，漢軍二員，掌繙譯章奏（註一一）。恢復建置後的起居注衙門，其員額雖有變動，但起居注衙門迄清季仍存在，而且其記注工作亦從未間斷（註一二）。

四　現藏清代起居注册的數量

起居注官記載皇帝言行的檔册，稱爲起居注册。清代歷朝起居注册包含滿文本與漢文本兩種，國立故宮博物院現藏清代起居注册，康熙朝起居注册，滿文本多於漢文本。康熙十年八月，正式設置起居注官，惟起居注册的記載却始於是年九月。滿文本起居注册康熙十年九、十月合爲一册，其餘每月一册，全年共十二册，閏月增一册。四十三年至四十九年及五十三年以降各年俱缺。漢文本起居注册，始自康熙二十九年，每月一册，閏月增一册。四十三年至四十九年及五十三年以降各年亦缺。自雍正朝以降，滿漢文起居注册，每月增爲二册，全年共二十四册，閏月另增二册。雍正朝滿文本起居注册始自雍正八年正月，迄十三年，每月俱全。漢文本起居注册始自雍正八年七月，迄十三年，每月亦全。

乾隆朝滿漢文本起居注册俱始自乾隆元年正月，其中滿文本較全，册數亦較多，惟乾隆十三年二月、五月，十四年至十五年，十九年，二十三年正月至四月，二十四年至二十九年，三十六年至三十八年，四十四年至四十五年，四十七年，五十年，五十一年正月至二月上，五十二年至五十三年，五十八年正月至六月等年月缺，其餘各年分俱全。漢文本起居注册所缺較多，乾隆十年七月至十二月，十一年正月至二十年六月，二十三年，二十六年，四十四年至四十五年，四十七年，五十一年十一月上，五十二年至五十三年，五十六年七月至十二月，五十七年至六十年等年月俱缺。其中自乾隆三十四年至四十五年存有漢文本起居注册草本，五十七年及五十九年，存有內起居注册各一長摺。嘉慶朝滿文本起居注册，三年正月至四月，七年至十二年，十七年至十九年及二十二年等年月俱缺，另存太上皇起居注册乾隆六十一年至六十三年春夏秋冬每季各一册及六十四年春季一册。漢文本起居注册，嘉慶元年至十二年六月，十七年至十八年，二十一年至二十五年等年月俱缺。

道光朝滿文本起居注册，自道光元年至三十年各年皆全，漢文本起居注册所缺甚多，道光元年至五年六月及八年分各月俱缺。咸豐朝滿漢文起居注册自咸豐元年至十一年各月分皆全。同治朝漢文本起居注册，自同治元年至十三年各月分皆全，滿文本起居注册，同治元年七月至十二月，二年四月至十二月，九年四月至五月，十三年九月至十月等年月俱缺。光緒朝滿文本起居注册，光緒八年正月至三月，二十三年四月上，二十五年至二十六年等年月俱缺。漢文本起居注册，七年正月至八年三月，二十五年至三十六年，二十八年正月至三月，三十一年正月至六月等年月俱缺。宣統朝存元年至三年滿文起居注册，缺漢文本起居注册。

國立故宮博物院現藏康熙朝漢文本起居注册是始自康熙二十九年，羅振玉輯錄「聖祖仁皇帝起居注」包含康熙十二年正月至十二月，十九年九月，四十二年七月至九月，其內容與現藏起居注册大致相同。例如康熙十二年正月初二日云「初二日癸酉，午時，上詣太宗貴妃宮省視。又詣太皇太后問安。本日，起居注官杜臻、喇沙里。」現藏滿文本起居注册云「ice iuwe de, sahahūn coko inenggi, morin erinde, dele, taidzung ni gui fei j gung de, sain be fonjime genefi, geli taihūwang taiheo, hūwang taiheo i gung de genefi, elhe be fonjiha. tere inenggi, ilire tere be ejere hafan du jen, lasari。」滿漢文本起居注册的文意俱相同。又如是年五月初一日，「聖祖仁皇帝起居注册」云「初一日庚午早，上御乾清門，聽部院各衙門官員面奏政事。辰時，上御弘德殿，講官傅達禮、熊賜履、孫在豐進講子在陳曰：歸與歸與一章；子曰：伯夷、叔齊不念舊惡一章；子曰：孰謂微生高直一章；子曰：巧言令色足恭一章。巳時，上詣太皇太后宮問安。本日，起居注官李仙根、喇沙里。」(註一三)現藏滿文本起居注册云「sunja biyai ice de šanggiyan morin inenggi, erde, dele kiyan cing men duka de tucifi, geren jurgan, yamun i ambasa be dere acafi, wesimbuhe dasan i baita be icihiyaha. muduri erinde, dele, hung de diyan de tefi,giyangnara hafan fudari, hiong sy li, sun dzai fung be, kungdz cen de bifi hendume,bedereki bedereki sehe emu fiyelen, kungdz i henduhe, be i, su ci, fe ehe be gunirakū sehe emu fiyelen, kungdz i henduhe, we, we seng g'ao be tondo sehe emu fiyelen, kungdz i henduhe, faksi gisun, araha cira dabatala gungnere be sehe emu fiyelen be giyangnabuha. meihe erinde, dele, tai huwang taiheo i gung de genefi, elhe be fonjiha. tere inenggi, ilire tere be ejere hafan li siyan gen, lasari.」

由上所引滿漢文本起居注册，可知其文意亦相同，此外各條，在詞句上偶有出入，或因滿漢文繙譯詳略不同所致。羅氏輯錄聖祖起居注册的數量雖然有限，但仍可補現藏漢文本起居注册的闕漏。

五　起居注册的纂修

據清會典的記載，凡逢朝會、御殿、御門聽政、有事郊廟、外藩入朝、大閱校射及每歲勾決重囚等，記注官皆分日侍直。凡謁陵、校獵、駐蹕南苑、巡狩方岳等，記注官皆扈從。凡侍直，敬聆綸音，退而謹書之，具年月日及當直官姓名於籍，每月成帙，封鐍於匱，歲以十二月具疏，送內閣收藏，記注官會內閣學士，監視貯庫（註一四）。康熙十年，起居注衙門設立以後，凡遇聖祖親詣兩宮問安，起居注官皆隨行記注。惟昏定晨省，問安視膳，爲子孫常禮，於康熙十四年諭令侍直官不必隨行。聖祖每日聽政，一切折出票籤應商酌事件，起居注官除照常記注外，遇有折本啓奏，則令侍班記注。但遇會議機密事情及召諸臣近前口諭，俱不令記注官侍班。聖祖聽政之日，侍班漢記注官歸至衙門後纂寫諭旨，與滿洲記注官校看。但因記注官入侍時，跼蹐無措，所記諭旨每致遺漏舛訛，記注官只得查閱科鈔或各部院檔案。至於滿漢臣工題奏事件，則據原疏抄錄或摘記，然後分別對譯。滿洲記注官據滿字奏疏纂修滿文本起居注册，漢記注官則據譯漢奏疏纂修漢文起居注册。滿漢文諭旨亦各據原諭纂修，然後對譯。在康熙年間，諭旨及奏疏多以滿字書寫，因此，漢文本起居注册，必俟譯成漢字後始按月纂修漢文本起居注册。例如康熙三十六年四月初九日，費揚古奏報準噶爾噶爾丹汗死訊一摺，係以滿字書寫。其原摺云「 goroki be dahabure amba jiyanggiyūn hiya kadalara dorgi amban fiyanggū sei gingguleme wesimburengge, g'aldan i bucehe, danjila sei dahara babe ekšeme boolame wesimbure jalin, amban be, elhe taifini gūsin ningguci aniya duin biyai ice uyun de, sair balhasun gebungge bade isinjiha manggi, ūlet i danjila sei takūraha cikir jaisang ni jergi uyun niyalma jifi alarangge, be ūlet i danjila i takūraha elcin, ilan biyai juwan ilan de, g'aldan aca amtatai gebungge bade isinafi bucehe, danjila, noyan gelung, danjila i hojihon lasrun, g'aldan i giran, g'aldan i sargan jui juncahai be gajime uheri ilan tanggū boigon be gaifi enduringge ejen de dahame ebsi jifi, baya endur gebungge bade ilifi, hese be aliyame tehebi, enduringge ejen adarame jorime hese wasimbuci, wasimbuha hese be gingguleme dahame yabumbi, urjanjab jaisang, urjanjab i deo sereng, aba jaisang, tar jaisang, aralbai jaisang, erdeni ujat lama se, juwe tanggū boigon be gaifi, dzewang arabtan be baime genehe. erdeni jaisang, usta taiji, boroci jaisang hosooci, cerimbum jaisang se, juwe tanggū boigon be gaifi, danjin ombu be baime genehe. danjila sei wesimbure bithe, ne mende bi sembi cikir jaisang sede, g'aldan adarame bucehe, danjila ainu uthai ebsi jiderakū, baya endur bade tefi, hese be aliyambi sembi seme fonjici alarangge, g'aldan ilan biyai juwan ilan i erde nimehe, yamji uthai bucehe, ai nimeku be sarkū, danjila uthai jiki seci, morin umesi turga, fejergi urse amba dulin gemu ulga akū yafagan, geli kūnesun akū, uttu ojoro jakade, baya endur bade tefi, hese be aliyame bi, enduringge ejen ebsi jio seci, uthai jimbi sembi, danjila sei takūraha elcin de gemu ejen i jakade benebuci, niyalma largin, giyamun i morin isirakū be boljoci ojorakū seme, cikir jaisang be teile, icihiyara hafan nomcidai de afabufi, ejen i jakade hahilame benebuhe, aldar gelung ni jergi jakun niyalma be, amban be godoli balhasun de gamafi, tabuhe giyamun deri ejen i jakade benebuki, danjila i wesimbure emu bithe, noyan gelung ni wesimbure emu bithe, danjila i hojihon lasrun i wesimbure emu bithe be suwaliyame, neneme dele tuwabume wesimbuhe. erei jalin ekšeme gingguleme donjibume wesimbuhe。」(註一五)康熙三十六年四月十五日，滿文本起居注册所載費揚古奏疏卽係據原摺抄錄修成，其中出入極少。原摺內 baya endur，起居注册改作 bayan endur；juncaha，作 jucihai；aba jaisang 改作 ab jaisang；dzewang arabtan 改作 tsewang rabtan；cerimbum jaisang 改作 cering bum jaisang，此外並無不同。原摺封面粘貼簽條書明「奏章譯」字様，漢文本起居注册卽據譯漢奏疏抄錄修成。四月十五日，漢文本起居注册記載噶爾丹死訊全文云「撫遠大將軍領侍衛內大臣伯費揚古等奏，爲飛報噶爾丹已死，丹濟喇等投降事。臣等於康熙三十六年四月初九日至塞爾巴爾哈孫地方，有厄魯特丹濟喇等所遣齊奇爾寨桑等九人來稱，我等係厄魯特丹濟喇所遣之使，三月十三日，噶爾丹死於阿察阿木塔台地方。丹濟喇、諾顏格隆、丹濟喇之壻拉思倫，携帶噶爾丹尸骸，並帶噶爾丹之女朱戚海，共三百餘戶投皇上前來，駐於巴顏恩都爾地方候旨，皇上作何發落，以便遵旨施行。吳爾占渣布寨桑、吳爾占渣布之弟色冷、阿布寨桑、塔爾寨桑、阿喇爾拜寨桑、額爾得尼吳渣特喇麻等帶得二百戶人投策旺拉布灘而去。額爾得尼寨桑、吳思塔台吉、博羅齊寨桑、和碩齊車凌奔寨桑等帶二百戶人投丹津鄂木而去，丹濟喇等所奏之本，現在我等處等語。問齊奇爾寨桑等，噶爾丹所死之故，並丹濟喇爲何不卽行前來，駐於巴顏恩都爾地方候旨。據云：噶爾丹於三月十三日早得病，至晚卽死，不知是甚病症。丹濟喇欲卽行前來，因馬甚瘦，而所帶人等大半無馬，俱屬步行，又無行糧，爲此駐於巴顏恩都爾地方候旨，皇上如命其前來，彼卽速至。今若將丹濟喇所遣之使盡送行在，恐人多驛馬不足，故止將齊奇爾寨桑交與郎中諾木齊岱速送行在。其阿爾達爾格隆等八人，臣等帶至郭多里巴爾哈孫地方，由所設驛站送往行在。所有丹濟喇奏本一件，諾顏格隆奏本一件，丹濟喇之壻拉思倫奏本一件，一併先行奏聞。」（註一六）費揚古所繕滿文原摺內 baya endur，漢文本起居注册譯作巴顏恩都爾，juncahai 譯作朱戚海，aba jaisang 譯作阿布寨桑，dzewang arabtan 譯作策旺拉布灘，與滿文本起居注册相合。易言之，漢文本起居注册是據滿文本起居注册逐句對譯，纂修成帙。

世宗在位期間，於視朝臨御、郊祀壇廟時，俱令滿漢日講起居注官各二人侍班，記載諭旨政務及皇帝言行，所謂既退則載筆。但起居注册的纂修則是於次年查閱各處檔案彙編成册。例如雍正十年分的漢文本起居注册，凡遇「弘」字未避高宗弘曆名諱。高宗嗣位後於雍正十三年九月二十日頒降諭旨，臣工名字與御名相同者，上一字少寫一點，即書作「弘」，下一字將中間禾字改書爲木，以存迴避之意。檢查雍正十一年分起居注册內臣工姓名與高宗御名相同者甚多，並未避諱，例如武弘彥、趙弘恩、楊弘毅、譚治弘、田弘祚、陳弘謀、徐弘道等人，其弘字俱未迴避御名。自雍正十二年分起始迴避御名，例如塩驛道楊弘緒、都司趙廷弘等人，所有弘字俱改書「弘」字。由此可知雍正十二年分的漢文起居注册是在雍正十三年九月二十日頒佈迴避御名諭旨以後始正式繕寫成册。從現存起居注册稿本可以瞭解清代纂修起居注册的過程及其資料的來源。在起居注册稿本封面右下角多書明纂修人員姓名，其中乾隆朝的起居注册，纂修官人數尤夥，如中允彭冠、侍讀學士朱筠、編修謝啓昆、洗馬史貽謨、右贊善王燕緒、編修沈士駿、修撰陳初哲、中允曹仁虎、嵇承謙、編修祝德麟、侍讀吳省欽、詹事錢載、莊通敏、贊善彭紹觀、編修陸費墀、編修姚頷、侍講鄒奕孝、編修芮永肩、侍讀董誥、侍讀學士褚廷璋、侍講沈初、侍講張燾、贊善侍講學士劉躍雲、詹事金士松、侍講劉亨地、侍講學士陸錫熊、編修王嘉曾、編修秦潮、侍講學士紀昀、編修李鎔、洗馬黃良棟、檢討季學錦、侍講王仲愚、編修俞大猷等人。起居注册每月分上下二册，由纂修官一人出名彙編纂修。在稿本上間亦註明校稿人員的姓氏，例如乾隆三十五年四月分，在起居注册封面右下角標明「校訖」及「吳校」字樣，五月分，書明「謝校」，八月分，書明「沈校」，四十年十二月分上，書明「鄒奕孝恭校」字樣。據清會典的記載，日講起居注官載事順序爲首上諭，次部本、通本、旗摺、京外各官奏摺，先公後私，其次各部院衙門引見，八旗引見。所載上諭，是以當日事務輕重爲序，事關壇廟陵寢者，例應首載。其載部本，首內閣，次宗人府、翰林院、六部、都察院、理藩院，若遇有禮部慶賀，太常寺祭祀本，則列於內閣之前。其載通本，首總督，次巡撫，以省分先後爲序（註一七）。

編纂起居注册，先成草本，由總辦記注官逐條查覈增改，送請掌院學士閱定。纂修草本時是將所抄各種檔案，每日按順序排比，其檔案來源包括內記注，上諭簿、綠綸簿、外紀簿、通本、部檔、部院檔、旗檔、御門檔、內務府檔、紅本檔、折本檔、勾決簿、兵部檔、吏部檔、都察院檔、部折檔、理藩院檔、國子監檔、寺檔、清字檔、清字譯檔、清字上諭簿。其中兵部、吏部等檔，即所謂部本。在京六部本章，及各院寺監衙門本章，附於六部之後，統稱部本。凡各省將軍督撫及盛京五部本章，俱齎至通政使司轉遞內閣，稱爲通本。內記注所載爲皇帝御殿、詣宮、請安、賜宴、觀看燈火、進膳、赴園、巡幸、拈香、駐蹕、行圍等活動。絲綸簿爲內閣票籤處記載諭旨的主要簿册，取「王言如絲，其出如綸」之義，外紀簿爲票籤處記載外省臣工摺奏事件的簿册。上諭簿有長本與方本之分，或記載特降諭旨，或兼載明發與寄信諭旨。內務府檔爲內務府奏請補授員外郎等各缺事件。旗檔爲記載八旗世管佐領、前鋒、雲騎尉、護軍參領、防禦等旗員任免事件。內閣大學士票擬本章，或雙籤，或三籤，得旨後批寫於本面，稱爲紅本。部本進呈御覽後，其未奉諭旨者折本發下，俟御門聽政進呈啓奏。勾決簿爲刑部記載朝審秋審情實各犯勾決事件。國子監檔爲國子監奏請補授助教等員缺及帶領正陪人員引見等事。部院檔所載多爲引見補授陞署降調等項。都察院檔所載多爲奏請任滿員缺欽點更換等事。編纂起居注册草本時，是按日摘記各檔，依序排列，並註明出處，類似長編或史料彙編。例如乾隆三十四年七月初一日辛巳，起居注册草本的內容爲「上詣安佑宮行禮，內記注。是日，大學士尹、劉奉諭旨陳筌著准其回籍終養，提督貴州學政著王士棻去，上諭簿。又兵部奏福建詔安營遊擊員缺請以預保註册之長福營右營千總王德華擬補一疏，奉諭旨王德華依擬用，餘依議，絲綸簿。是日，起居注官哈清阿，彭冠。」在起居注册草本封面右下角書明「中允彭冠恭纂」字樣。各類檔案的編排，有一定的順序，不可錯亂。乾隆四十年二月十二日庚寅，起居注册草本記載大學士舒赫德，于敏中奏請將內閣大庫所藏無圈點滿文老檔，照新滿文另行音出一分一疏，奉諭旨「是，應如此辦理。」原稿註明「外紀」字樣。草本送請覆校後粘貼素簽云「外紀照舊例移絲綸簿之後。」至於寄信上諭，起居注册例不應載。乾隆三十六年正月分下，起居注册草本封面右下角書明「九月二十六日送繙，十月十四日領回。」同年三月分上，草本封面書明「九月二十六日送繙，十月十三收回。」所謂送繙，即送交滿洲記注官譯成滿文。清代起居注册，自乾隆朝至清季，其起居注册是先纂修漢文草本，然後譯成滿文本。由於起居注册彙編多方面的原始資料，仍有其史料價值。

六　起居注册的史料價值

起居注官記載的範圍極爲廣泛，內容亦較詳盡，可補其他官書的不足。其中有涉及中外關係者，例如康熙三十一年四月二十七日，聖祖御瀛台，勤政殿聽政，理藩院具題索倫總管博魁員缺，以索倫達瑚理、副總管顧爾鼎阿等六人職名開列呈覽。聖祖云「達瑚理、佐領塔爾瑚蘭前率四十人往雅克薩偵探，路遇厄羅斯五百餘人，衝入交戰，出時因失三人往尋，又衝入，兩次交戰，我師止損三人，將厄羅斯之人已殺五十餘名，塔爾瑚蘭實係人材壯健，朕稔知其詳，着陞補索倫總管。」(註一八)厄羅斯即俄羅斯，又作羅剎。雅克薩之役，爲清初中俄重要交涉，惟清實錄、東華錄、平定羅剎方略俱不載塔爾瑚蘭偵探雅克薩經過。康熙三十三年五月十三日，聖祖實錄但云「遣官祭關聖帝君」一事，起居注册則云「辰時，上御乾清門聽政，部院各衙門官員面奏畢，大學士伊桑阿、阿蘭泰、王熙、張玉書、學士王掞、李根、德珠、溫保、戴通、顧藻、沈圖以折本請旨，理藩院題黑龍江將軍薩布素請緝拏鄂羅斯打貂皮人。上曰：我國邊界甚遠，向因欲往觀其地，曾差都統大臣侍衛等官，皆不能遍到，地與東海最近，所差大臣於六月二十四日至彼，言仍有冰霜。其山無草，止生青苔，彼處有一種鹿最多，不食草，唯食青苔，彼處男女，睡則以木撐頷等語。我國邊地，我國之人尙不能至，況邊界相接鄂羅斯國一二竊來打貂皮者，亦不能無因。此遽爲緝拿，彼則懼死，必致相鬥，若相鬥，我國之人豈肯輕釋，可差司官一員到將軍薩布素處，令其明白寫書與鄂羅斯國，言彼國之人竊來我邊地打貂皮，我國差人緝拿，若緝拿之時而與我相敵，我國斷不肯安靜。」中俄陸路接觸，由來甚早，明清之際，俄人積極東侵，以葉尼塞斯克（Yeniseisk）及雅庫茨克（Yakutsk）爲中心，向貝加爾以東，外興安嶺以南進行拓殖。順治元年，雅庫茨克總管哥羅溫（Peter Golowin）遣波雅柯夫（Vasili Poyarkov）經阿爾丹河（R. Aldan）進入黑龍江。順治七年，哈巴羅夫（Khabarov）等人攻佔雅克薩（Albanzin）地方，迭破索倫諸部。順治十一年，俄人進入松花江。康熙初年，俄人於黑龍江北岸設兵移民，公然犯境，滿洲發祥地遂首當其衝，飽受俄人的擄掠蹂躪。康熙二十八年七月，中俄簽訂尼布楚條約，但俄人侵華的勢燄，並未稍戢。俄國的殖民活動，其基本目的即在擴張領土，蠶食中國邊地（註一九）。探討中俄關係，起居注册仍不失爲珍貴的史料。中外通商問題頗受清聖祖的注意。康熙三十七年四月十四日辰時，聖祖御暢春園內澹寧居聽政，戶部以廣東海稅復行議減具奏。聖祖云「海稅事朕知已久，聞收稅人員，將船內所載諸物，屑屑搜檢，概行徵稅，以致商船稀少，海船亦有自外國來者，如此瑣屑，外國觀之，亦覺非體，爾等傳前任收稅人員，問明缺額之故具奏。」是月十九日，大學士伊桑阿等奏稱「臣等遵旨問前任廣東收海稅人員，據云，以前稅銀原足，數年來內地貨物販賣外國者甚多，因此價不及前，所以外國貨物至中國者，亦不得價。況福建、浙江、江南又開海禁，設關権稅，因洋貨分散，致錢糧缺額。」康熙二十二年，清廷議開海禁，設粵海、閩海、浙海、江海四關，開放對外通商，但由於洋貨分散，稅收苛繁，稅吏中飽，以致徒病外商而無益於國庫。康熙五十年二月初九日，起居注册記載聖祖與起居注官對話內容云「問起居注官常鼐曰：爾曾到何處？常鼐奏曰：臣曾到上海。上曰：乍浦、上海相隔不遠，其至乍浦船隻亦到上海否？常鼐奏曰：乍浦至上海甚近，上海係一海套，外國洋船不到此處，其在洋貿易者，俱係上海蘇州人裝載本地紗綢布疋至洋內常岐島賣與倭國，回時裝紅銅、海菜至內地販賣。上領之。又問曰：松江、上海相隔幾里？常鼐奏曰：百里有餘。上曰：是相隔甚近。」上海開港較晚，在康熙年間仍未引起外商的注意。起居注册所載重要資料，清實錄俱隻字未提。

康熙朝起居注册記載頗多聖祖評論史事的內容。康熙二十九年三月二十九日，聖祖實錄云「上以康熙二十四、二十五兩年內所閱通鑑，御製論斷一百有七則，命贊善勵杜訥交起注館記注。」檢查起居注册，三月分計二册，其中一册即御製通鑑論斷原稿，共計四十葉。三月二十九日，內庭供奉日講官起居注贊善勵杜訥至起居注館，將摺子三册交與掌院侍郎庫勒納云「皇上二十四、二十五兩年覽閱通鑑論斷之語，記爲摺子三册，我於本日口奏交起居注館記注，奉旨着交與，遂交訖。」御製通鑑論斷三册即「閱三皇五帝紀論」、「上閱周桓王紀論」、「上閱周景王時楚滅蔡用隱太子於岡山論」，共計一百七則，例如聖祖論宋代變法一則云「上閱司馬光謂改新法當如救焚拯溺論曰，宋哲宗之初，廷臣咸欲革除新法，猶以改父之政爲嫌，司馬光毅然爲以母改子，遂使群疑立釋，可謂要言不煩，善處大事者矣。若以紹聖更法，遂尤其建議之際已留瑕隙，令惠卿輩得其短長，是皆事後之見爾。」聖祖批閱明史的情形，起居注册記載尤詳。例如康熙二十九年二月初三日，聖祖實錄記載聖祖諭旨云「諭大學士等，爾等所進明史，朕已詳閱，遠過宋元諸史矣。凡纂核史書，務宜考核精詳，不可疏漏。朕於明代實錄，詳悉披覽，宣德以前，尚覺可觀，至宣德後，頗多訛謬，不可不察。」起居注册亦載此道諭旨，其原文云「諭大學士等曰：爾等所進明史，朕已詳閱，編纂甚佳，視宋元諸史遠過矣。史書最關緊要，纂輯之時，務宜考核精詳，不可疏漏。史書必身親考論，方能洞曉。朕於明代實錄，詳悉披覽，宣德以前，尚覺可觀，至宣德以後，頗多紕謬，譌字亦不少，弗堪寓目。宋通鑑其書亦多失實，如所載兀朮以六馬登金山，為韓世忠所阻。今觀大江如此遼濶，金山在江中央，六馬豈能飛渡耶？舊史歸功世忠，謂賴其堅守四十一日，此不過當時粉飾之談，妄為誇張，以夸耀後世耳，舊史舛謬，類多如此，不可不察。」實錄館纂修人員將諭旨原文加以潤飾，並將宋通鑑所述金兀朮事俱行刪略。康熙四十二年四月二十三日辰時，聖祖御暢春園內澹寧居聽政，曾發出大學士熊賜履呈覽明朝神宗、熹宗以下史書四本，並諭大學士等稱明季太監，皆及見之，魏忠賢惡跡，史書僅記其大略，據起居注册記載「其最惡者，凡有拂意之人，即日夜不令休息，逼之步走而死，又幷人之二大指以繩拴而懸之於上，兩足不令着地，而施之以酷刑。」（註二〇）清實錄將聖祖所述魏忠賢惡跡俱刪略不載。

聖祖在位期間，皇太子再立再廢，諸皇子樹黨傾陷，終於禍起蕭墻，導致骨肉相殘的悲劇，聖祖實錄於其事跡，多諱而不載。聖祖有后妃嬪貴人二十一人，生子三十五人，其中皇長子胤禔，為惠妃納喇氏所生，但非嫡出。皇二子胤礽，為孝誠仁皇后赫舍里氏所生，也是嫡長子，康熙十四年十二月，册立爲皇太子。皇三子胤祉，爲榮妃馬佳氏所生。皇四子胤禛，則爲孝恭仁皇后所生。皇十三子胤祥，爲敬敏皇貴妃章佳氏所生。據聖祖稱，在諸皇子內，皇三子字學已造佳境，數學亦精。皇十三子的學問「殊有望，異日必當大成。」起居注册記載聖祖親口所述，聖祖實錄却删略不載。皇太子正位東宮後，聖祖加意教育，舉凡經史騎射，無不躬親訓誨。聖祖曾指出皇太子的儀表及學問才技，俱有可觀，清實錄俱將聖祖稱讚之言盡行删略。康熙三十二年五月十九日，起居注册云「是日，轉奏事敦住傳旨諭大學士伊桑阿等曰：朕因違和，於國家政事，久未辦理，奏章照常送進，令皇太子辦理，付批本處批發，細微之事，即或有一二遺誤，無甚關係，其緊要大事，皇太子自於朕前奏聞。」清實錄記載是日諭旨云「諭大學士等，朕躬違和，久未理事，今已稍愈，奏章著照常送進。」不僅內容簡略，且文意亦有出入，案起居注册所言奏章照常送進，並非聖躬稍愈，而是令皇太子辦理。聖祖親征準噶爾期間，凡事俱由皇太子聽理，聖祖曾讚許云「舉朝皆稱皇太子之善。」康熙四十七年九月，因皇太子言動失常，難託重器，將其圈禁於咸安宮。翌年三月，聖祖以其狂疾漸痊，復正儲位。滿漢大臣見聖祖年齒日長，紛紛趨附皇太子，父子之間遂成壁壘。康熙五十一年十月初一日，奏事員外郎傻子雙全捧出御筆硃書諭旨已指出皇太子「因朕爲父，雖無弒逆之心，但小人輩，懼日後被誅，倘於朕躬有不測之事，則關係朕一世聲名。」清實錄將「雖無弒逆之心」，改作「雖無異心」。康熙五十二年二月初二日，起居注册內云「昔立皇太子時，索額圖懷私倡議，凡皇太子服御諸物，俱用黃色，所定一切儀注，與朕無異，儼若二君矣，天無二日，民無二王，驕縱之漸，職是之故。」清實錄亦載此諭，惟將「儼若二君矣，天無二日，民無二王」等句删略不錄。世宗在位期間，實錄館奉敕纂修聖祖實錄，將聖祖所頒諭旨加以潤飾及删削後，已失史料眞貌，探討清代史事，起居注册實爲不可或缺的資料。

世宗朝起居注册始自雍正八年，就現存雍正年間的起居注册而言，仍不乏珍貴史料，例如辦理軍機處的設置經過及其名稱的更易，起居注册就是一種重要的輔助資料，辦理軍機處的建置時間，清代官書的記載及私家著述，極不一致。清史稿張廷玉傳謂雍正八年以西北用兵設軍機房於隆宗門內，軍機大臣年表則稱雍正七年六月始設軍機房。梁章鉅纂輯樞垣記略原序謂雍正八年庚戌設立軍機處，同書軍機大臣除授一節，則以雍正十年二月爲軍機大臣除授之始。雍正九年四月初八日，起居注册記載明發上諭，內云「卽以西陲用兵之事言之，北路軍需交與怡賢親王等辦理，西路軍需交與大將軍岳鍾琪辦理，此皆定議於雍正四年者。王大臣等密奉指示，一絲一粟，皆用公帑製備，纖毫不取給於民間，是以經理數年，而內外臣民並不知國家將有用兵之舉，以致宵小之徒如李不器輩竟謂岳鍾琪私造戰車，蓄養勇士，訛言繁興，遠近傳播，達於朕聽。朕將岳鍾琪遵奉密旨之處，曉諭秦人，而訛言始息，卽此一節觀之，若非辦理軍需秋毫無犯，何至以國家之公事，疑爲岳鍾琪之私謀乎。及至雍正七年大軍將發，飛芻輓粟，始有動用民力之時（下略）。」辦理軍需既定議於雍正四年，岳鍾琪等密奉指示，製造戰車，募練勇士，以致訛言繁興，足見辦理軍需大臣實已存在。清世宗實錄亦載是日明發上諭，惟將李不器指稱岳鍾琪私造戰車一段删略不錄。李宗侗教授曾指出雍正四年的下半年爲軍需房成立的最始年月，至七年六月始改爲軍機房，至十年三月更改爲軍機處（註二二）。但軍需房正式設置的時間，實晚於世宗任命軍需大臣，世宗初命張廷玉、蔣廷錫與胤祥為辦理軍需大臣，經理數年後始正式設立軍需房。張廷玉等曾具摺指出「雍正七年派撥官兵前往西北兩路出征，一切軍務，事關機密，經戶部設立軍需房。」(註二二)是時軍需房並未改稱軍機房，清史稿軍機大臣年表所稱軍機房字樣，是出自清史館纂修人員的臆斷之詞。雍正十年，頒用辦理軍機事務印信後，仍稱辦理軍需大臣，尚未改稱辦理軍機大臣。清世宗實錄雍正十年十一月二十八日云「辦理軍機大臣等議奏，據署陝西巡撫史貽直奏請統轄勇健營兵丁提督陳天培、總兵官徐起鳳罷軟廢弛，不能約束兵丁，以致沿途生事妄行（下略）。」惟起居注册內則作「辦理軍需大臣」。同年十二月十六、二十四等日，實錄俱書「辦理軍機大臣」字樣，而起居注册皆作「辦理軍需大臣」，與宮中檔奏摺硃批相合。乾隆初年纂修世宗實錄時，為求畫一名稱而一律改書辦理軍機大臣字樣。

清初文字獄案件，層出不窮，清世宗實錄間亦記載所頒明發上諭，惟內容多經刪略，起居注册所載諭旨多較實錄詳盡，且據原頒諭旨全文記載，未經刪改潤飾，其史料價值實高於實錄或聖訓等官書。起居注册所載諭旨亦有不見於實錄者，例如雍正十年九月十七日起居注册記載內閣奉上諭云「今科陝西鄉試主考吳文煥、李天寵策問秦省水利一條內稱，秦中沃野千里，水泉灌溉之利為多，歷代名臣官陝士者，類不以浚渠築堰導流尋源為要務，若倪寬之在漢，葉清臣之在宋，耿炳文、項忠、張鎣、石永之在明，其措施何地奏績何功，能一一詳指否？又稱京畿之間，大建營田，興修水利，多士亦聞之熟矣。秦省為桑梓之邦，尤所深悉，其明切陳之無隱等語。朕思秦中素稱天府，水泉隨在皆可疏蓄，以資耕種。其最著者，西安等處則有鄭白龍洞諸渠，寧夏則有漢唐大清等渠，歷年久遠，漸致淤塞，堤堰大半傾圮，水田僅存其名。雍正五年，朕勅令該督撫將鄭白龍洞諸渠，動用國帑，加意興修，務期渠道深通，堤堰堅固，現今農田得其利益。至漢唐大清等渠，朕特命大臣等親往經理，專司其事，居住數年，庀材鳩工，悉心修築，年來水泉充裕，禾稼有收，此秦中興修水利之大概也。吳文煥等若以水利策問考試士子，即當就該省所現行者，令其敷陳條對，或可備採擇之資，或可為善後之計，乃舍今而援古，去近而求遠，摭拾往事，泛為舖張，並遠引京畿，以為近日興修水利之一證，而於本省工程，關係利弊者，無一言提及，想以秦中疏濬諸渠為無裨於民生耶？抑或以該省工程為不足論耶？務虛文而無實際，乃為政為學之大患。吳文煥等識見卑鄙如此，不可不加懲儆，着交部察議具奏。嗣後各省鄉試題目，俱着報部，如有支離迂濶草率鄙之處，該部即行指出題參。」原諭為鄉試重要資料，亦可見清初文網之密，羅織入微，士子每因引用不當，擇詞疏漏，動輒得咎。當曾靜因文字獄案被發往湖南觀風整俗使李徽衙門後，曾投遞禀帖云「靜今日之於大人本臣子也，而大人之於靜即君父也。」（註二三）李徽即以曾靜於忠孝之本源未明，悖逆之情形尚在而具摺參奏。雍正八年八月十一日，湖南省城貼有萬姓傳單，約於十九日共執曾靜，縛手沈潭云云。是年十一月初六日，世宗頒降明發上諭，略謂「湖南向來風俗澆漓，不知尊君親上之大義，是以有曾靜、張熙此等悖逆妄亂之人，此乃人心習氣漸染而成者，非曾靜一人之過也。朕為湖南世道民風計，特寬曾靜之罪，諭以正理，感以至誠以信及豚魚之道，動其天良，使之深知愧恥，改過自新，朕並非加恩於曾靜一人，實欲使湖南萬民折心自問，若有懷奸邪不軌之念者，各知猛省，相率而趨於忠厚良善之路（下略）。」滿洲入關後，漢人慘遭屠戮，南明恢復事業雖告失敗，但漢人的反滿運動，此仆彼起，迄未終止，知識分子將亡國之痛與孤憤之情表現於詩文者，亦屢見不鮮。清初諸帝或採高壓政策，顯加誅滅，禁燬著述，以懲隱慝；或採懷柔政策，詔舉山林隱逸，廣開明史館，以寄託孤臣孽子之心；或採調和政策，使其故國之思，潛消於不自知，以消除漢人反滿氣燄。世宗所頒明發上諭，可以瞭解其處理文字獄案件的態度，起居注册記載諭旨全文，清實錄俱諱而不錄。

清世宗在藩邸時，於究心經史之餘，亦拈性宗，頗有所見，御極以後，崇尚佛教的風氣頗盛，硃批奏摺亦多引佛家語。怡親王胤祥抱恙期間，世宗曾諭令臣工訪問精於醫理及通曉性宗道教之人，以爲調攝頤養之助，域內高僧眞人深受禮敬。江西貴溪縣龍虎山，爲漢代張道陵煉丹成道勝地。世宗曾言張道陵「嘗得秘書，通神變化」，能驅除妖異。京師白雲觀道士曾奉召醫治胤祥病狀，並蒙賞賜。雍正八年七月，復化名賈士芳，由田文鏡差人護送入京。據實錄云「初到時，朕令內侍試以卜筮之事，伊言語支離，啓人疑惑，因自言上年曾蒙召見，朕始知卽白雲觀居住之人也，伊乃自言長於療病之法。朕因令其調治朕躬，伊口誦經咒，竝用以手按摩之術，見伊心志姦回，語言妄誕，竟有天地聽我主持，鬼神聽我驅使等語。」(註二四)起居注册內所載上諭，對調治世宗病情則記錄甚詳。「昨七月間，田文鏡將伊送來。初到之時，朕令內侍問話，並試以占卜之事。伊言語支離，有意啓人疑惑，因而說出上年曾蒙召見，朕始知卽白雲觀居住之人也。朕因諭之曰：自爾上年入見之後，朕躬卽覺違和，且吾弟之恙，亦自此漸增。想爾本係妖妄之人，挾其左道邪術，暗中播弄，至於如此。今朕躬尚未全安，爾既來京，當惟爾是問。伊乃自言長於療病之法，朕因令其調治朕躬，伊口誦經咒，並用以手按摩之術，此時見效奏功，無不立應。其言則清淨無爲，含醇守寂之道，亦古人之所有者。一日朕體中不適，伊授以密咒之法，朕試行之，頓覺心神舒暢，肢體安和，朕深爲喜慰，加以隆禮。乃此一月以來，朕躬雖已大愈，然起居寢食之間，伊欲令安則安，伊欲令不安則果覺不適。其致令安與不安之時，伊必預先露意，且見伊心志奸回，言語妄誕，竟謂天地聽我主持，鬼神供我驅使，有先天而弗違之意，其調治朕躬也，安與不安，伊竟欲手操其柄，若不能出其範圍者。」世宗患病期間，屢次密諭各省督撫訪求名醫及道人，按摩與經咒並用，堪稱應驗，清實錄將此中情節，俱刪略不載。雍正十一年正月二十五日，起居注册記載明發上諭，述及世祖在臨御寰區萬幾餘暇，留心內典，優遇國師玉琳琇、木陳忞等。世宗御極之初，即欲俟十年後庶政漸理，然後談及佛法。是時世宗在位已届十年，隨閱讀玉琳琇、木陳忞語錄。據世宗稱玉琳琇所著性地超脫，乃直踏三關，實能丕振宗風，闡揚法旨。木陳忞語錄文采華麗，且具正知正見。又著北遊集六卷，其中記述世祖諭旨云「願老和尚勿以天子視朕，當如門弟子旅菴相待。」又記述世祖性情云「上龍性難攖，不時鞭撲左右，偶因問答間，師啓曰：參禪學道人，不可任情喜怒，故曰：一念嗔心起，百萬障門開者此也。上點首曰：知道了，後近侍李國柱語師云，如今萬歲爺不但不打人，即罵亦希逢矣。」（註二五）探討世祖朝史事，北遊集等書，實爲重要資料，世宗所頒明發上諭內學述頗詳，清實錄等官書俱諱言其事，起居注册仍不失爲珍貴史料。

清代起居注册例不進呈御覽，乾隆二年二月初六日，高宗御養心殿，召入總理事務王大臣及九卿等，諭稱自聖祖、世宗以來，從未批覽記注。高宗指出「人君政事言動萬國觀瞻，若有闕失，豈能禁人之不書，倘自信無他，又何必觀其記載。當時唐太宗索觀記注，朕方以爲非，豈肯躬自蹈之乎？」（註二六）乾隆朝以降歷朝起居注冊所載諭旨，多見於實錄，其內容出入亦甚少。惟因起居注冊的纂修，取材甚廣，除內記注外，舉凡滿漢文諭旨及各部院檔冊等俱逐一彙鈔編纂，其範圍極爲廣泛。因此，自乾隆以降的起居注冊，仍爲探討清史時所不可或缺的一種重要史料。

七　結語

歷史研究，應從史料入手。史料的搜集、整理、考訂與分析就是歷史研究法的階梯。治史者不宜捨棄實際史料，而高談方法。清代檔案浩瀚無涯，雖因戰亂遷徙，間有散佚，惟其接運來台者，爲數仍極可觀，國立故宮博物院現藏清代歷朝滿漢文起居注冊，共計五十箱，即爲一種數量頗多，內容珍貴的史料。清初自康熙十年八月仿明制設起居注館，同年九月正式纂修起居注冊。康熙五十七年，雖裁撤記注館，但世宗即位後又恢復建置，遂成爲定制。記注君主言動，有一定體例，先載起居，次載諭旨，其次載題奏事件，再次記載官員引見。其資料來源則參考內閣上諭簿、絲綸簿、外紀簿及宗人府、理藩院、各寺監八旗等滿漢文檔案。所有諭旨及官員引見、除授，俱全載，記載部本，係查閱略節，記載通本，則查閱揭帖，記載祭祀、行禮、問安、駕幸、駐蹕等項，俱查閱內起居注摺。記注館彙鈔的各處檔案，按日排纂。因此，起居注冊僅爲一種史料。清代纂修實錄，剪裁史料，隱諱史事，所載諭旨及題奏內容多經潤飾删略，以致往往與客觀的事實不符合。起居注册所載諭旨，係據頒降諭旨原文全錄，內容詳盡，其史料價值高於實錄，或官修史書。實錄不僅將諭旨潤飾或删略，臣工奏疏亦經竄改。例如康熙三十六年四月十五日，聖祖實錄載撫遠大將軍費揚古疏言，厄魯特丹濟拉遣齊奇爾等九人來告曰「閏三月十三日，噶爾丹至阿察阿穆塔台地方，飲藥自盡，丹濟拉、諾顏格隆、丹濟拉之壻拉思綸携噶爾丹尸骸及噶爾丹之女鍾齊海共率三百戶來歸。」惟查閱費揚古原疏則云噶爾丹死於三月十三日，且據齊奇爾寨桑等供稱「噶爾丹於三月十三日晨得病，至晚卽死，不知何病？」（註二七）起居注册所載與原疏相合，清代歷朝雖纂修實錄，却仍保存起居注册，史料與史書，並行不悖，因此，起居注册仍不失為一種珍貴的史料。

註釋

（註　一）：陳捷先撰「清代起居注館建置略考」，「清史雜筆」(一)，頁八一，民國六十六年八月，學海出版社。

（註　二）：「中國史學史」，頁八二，民國四十九年十二月，台灣商務印書館。

（註　三）：陶希聖等著「明清政治制度」，下編，頁七七，台灣商務印書館，民國五十六年八月。

（註　四）：「大清太宗文皇帝實錄」，卷二八，頁二，天聰十年三月辛亥。

（註　五）：羅振玉輯「史料叢刊初編」，「太宗文皇帝日錄殘卷」，頁一，文海出版社，民國五十三年四月。案八林部，卽巴林部，太吉卽台吉。

（註　六）：「舊滿洲檔」，第六册，頁二八一六，國立故宮博物院，民國五十八年八月。

〔註　七〕：「大清世祖章皇帝實錄」，卷七一，頁一五，順治十年正月庚辰，據劉顯績奏。

〔註　八〕：「欽定大清會典事例」，卷一〇五五，頁一，據光緒二十五年刻本景印，台灣中文書局。

〔註　九〕：案王先謙纂修東華錄亦繫於康熙十年八月甲午，與聖祖實錄同。

〔註一〇〕：「大清聖祖仁皇帝實錄」，卷二七八，頁一四，康熙五十七年三月戊辰，據大學士等奏。

〔註一一〕：「大淸會典」，卷八十四，頁七，乾隆二十九年，內府刊本。

〔註一二〕：陳捷先撰「淸代起居注館建置略考」，見「淸史雜筆」，(一)，頁九〇。學海出版社，民國六十六年八月。

〔註一三〕：羅振玉輯「史料叢刊初編」上冊，「聖祖仁皇帝起居注」，註二，頁一。

〔註一四〕：「大淸會典」，卷八十四，頁七，乾隆二十九年，內府刊本。

〔註一五〕：「宮中檔康熙朝奏摺」，第九輯，頁三五，康熙三十六年四月初九日，費揚古奏摺。

〔註一六〕：「起居注册」，康熙三十六年四月十五日甲子，據費揚古等奏。

〔註一七〕：「欽定大清會典」，卷七〇，頁一二。

〔註一八〕：「起居注册」，康熙三十一年四月分。

〔註一九〕：拙撰「淸季東北邊防經費的籌措」，東吳文史學報，第三號，頁九四，民國六十七年六月。

〔註二〇〕：「起居注册」，康熙四十二年四月分。

〔註二一〕：李宗侗撰「辦理軍機處略考」，「幼獅學報」，第一卷，第二期，頁六，民國四十八年四月。

〔註二二〕：宮中檔，第七十八箱，五三二包，二〇四九九號，雍正十三年九月二十二日，張廷玉等奏摺。

〔註二三〕：「起居注册」，雍正八年七月十九日上諭。

〔註二四〕：「大淸世宗憲皇帝實錄」，卷九八，頁一五，雍正八年九月辛卯，內閣奉上諭。

〔註二五〕：「起居注册」，雍正十一年正月二十五日，內閣奉上諭。

〔註二六〕：「大清高宗純皇帝實錄」，卷三六，頁六，乾隆二年二月初六日甲子上諭。

〔註二七〕：拙譯「清代準噶爾史料初編」，頁二一九，民國六十六年九月，文史哲出版社。

起居注册 原藏內閣實錄庫

起居注册

康熙十一年正月分

康熙十一年壬子正月初一日戊申昞早
上率諸王貝勒貝子公等內大臣大學士都統尚
書侍衛等往
堂子行禮畢回
宮辰時率諸王貝勒貝子公等內大臣大學士
都統尚書精奇尼哈番侍衛等宮詣
太皇太后宮行禮又詣

內起居注之一段

乾隆五十八年五月初一日起至十二月二十九日止

內起居注

內起居注

五月初一日

上詣

奉先殿行禮

堂子行禮

御太和殿受賀　詣

大高玄殿行禮

詣弘仁寺拈香　詣

壽皇殿行禮　未刻

御乾清宮

賜近親王皇子孫曾元等宴

初四日

上御齋宮

初五日

上御齋宮

初六日

上詣

圜丘齋宮

原藏內閣實錄庫

初七日

上詣

祈穀壇行禮畢

駕進宮

初八日

上御紫光閣

賜蒙古王公貝勒額駙台吉等及霍罕伯克郡滿巴

圖來使密爾匝邁明判伊木西里布等二人年

班回部喀拉沙爾三品伯克阿拉瑪里等三人

葉爾羌五品伯克五素布等四人阿克蘇五品

伯克巴圖爾班義勒和闐五品伯克鄂羅阿布

都滿圖克庫車六品伯克安里木塔什干薩六

品伯克尼雅斯素丕伊舉六品伯克尼匝拉莫

特土魯番協理旗務伯克拜拉木朝鮮國正使

朴宗岳副使徐龍輔等六人安南國陪臣武水

城陳玉視等四人暹羅國正使帕史滑里遜湯

亞排那赤突副使阿吧汶悉呢霞握撫突等四

人丕廓爾喀貢使噶箕第烏德特塔巴等四人

宴

賞賚有差

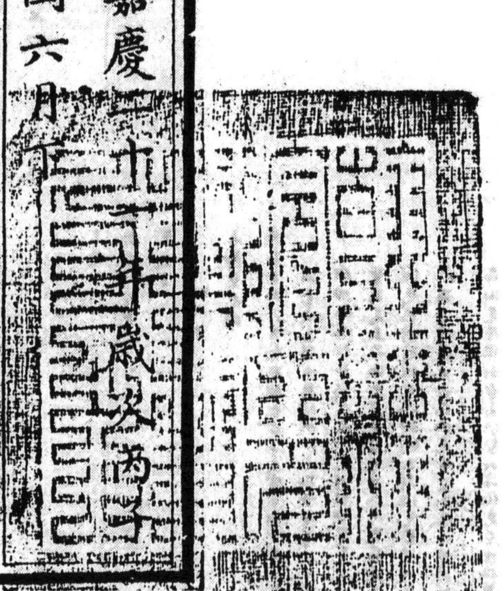
起居注冊
嘉慶二十一年歲次丙子
閏六月下

嘉慶二十一年歲次丙子閏六月十六日甲

午

上御勤政殿聽政部院各衙門面奏事件並帶領

侍班官員引

見畢大學士董誥曹振鏞協辦大學士兵部尚書

明亮內閣學士常英敬徵阿隆阿同麟穆彰

阿湯金釗以折本請

旨吏部題內閣學士員缺開列請

簡一䟽奉

諭旨茹棻補授內閣學士兼禮部侍郎　又奉

諭旨現在嘆咭唎國遣使入貢該使臣等到京後

城內居住會同四譯館城外居住蝎子湖公館

著派護軍統領秀寧格布舍各帶章京十員護

軍一百名在於該使臣館舍外晝夜巡查看守

清代國史館的傳記資料及列傳的編纂

一　前　言

歷史記載，最主要的是在人物，有人始有歷史。太史公作史記，以本紀、表、書、世家、列傳的體裁，撰寫歷史，就是一種紀傳體的方法。在史記一百三十卷中，本紀、世家、列傳共佔一百一十二卷，表與書合計僅佔十八卷。易言之，史記是以紀傳爲本體，而以八書爲總論，十表爲附錄，亦卽以人物爲中心。太史公特創列傳一體，將每一個歷史人物的事蹟，都歸納在其本人的名字下面，加以有系統的敍述，年經月緯，層次井然，於是從許多個別歷史人物的記載，可以顯露出某一個時代的社會概況或特徵。列傳的意義，就是列事作傳，敍列人臣事蹟，以傳於後世（註一）。班固以來修史者，多省世家入列傳。太史公創造這種列傳新體裁，爲以後二十四史所沿用。

有清一代，人物傳記的撰述，種類固多，爲數尤夥。例如碑傳集、續碑傳集、碑傳集補、大清畿輔先哲傳、清代學者象傳、中興將帥別傳、國朝先正事略、國朝耆獻類徵等，內容廣泛，頗具參考價値（

註二）。私家著述，固不待論，卽官修傳記，更是汗牛充棟。淸朝初年，卽倣漢人制度，設立史館，編纂史書，其中尤以列傳及當時所搜集的傳記資料爲數最多，其價値實非碑傳集等私家撰述所可同日而語。「淸史稿」倉卒成書，繆誤百出，不足徵信。傅振倫撰「淸史稿評論」已指出「滿淸所謂之國史館，列傳記事，其道甚詳，對於其人升遷降貶之年月，大都詳載不遺，稽考頗便，及民初修淸史，大半刪除，讀者惑焉，試以淸國史館所刋之滿漢名臣傳，及中華書局印行之淸史列傳，與此比較，其詳略疏密可知矣。」（註三）本文撰寫的目的卽在就現存淸代國史館檔案，以探討傳記資料的來源，並略述列傳的編纂，俾有助於淸史的硏究。

二　清代國史館的設立

淸代國史館的設立，可以追溯到入關以前。太宗天聰三年（一六二九）四月，設立文館，命儒臣分直，繙譯漢字書籍，並記注滿洲政事。天聰十年（一六三六）三月，改文館爲內國史、內秘書、內弘文三院，分職辦事。其中內國史院的職責爲「執掌專記言動，收御制文移，國政征伐一切史書，郊天祭文，卽大位表，祭宗廟文，歷代祖宗史書墓誌，凡一切密書，及官員陞降册幷奏疏，追封貝勒勅書，六部所辦事宜，可記者記之，封功臣母妻誥命，及篆印文，外國往來書，纂修入史。」（註四）簡言之，編纂史書就是內國史院的主要職掌之一。康熙二十九年（一六九〇）三月，山東道御史徐樹穀以國初史事若不及時彙輯成書，恐歲久人湮，諸臣事蹟，致有闕略。因此，疏請纂修太祖、太宗及世祖三朝國史，經禮部等衙門議准。同年四月，以大學士王熙爲監修總裁官，大學士伊桑阿等爲總裁官，尚書張玉書等爲副總裁官。滿洲入關之初，兵事方殷，不遑制作，國史的纂修，迄未著手。至是始議設館修史，其館址設在東華門內，額設纂修八員。旋設滿洲總纂四員，漢總纂六員，滿洲纂修十二員，漢纂修二十二員（註五）。除總纂、纂修以外，尚有協修、提調、清漢文總校及謄錄、校對官等人員。

雍正元年（一七二三），敕纂功臣傳。乾隆元年（一七三六）三月，禮部左侍郎徐元夢爲續修國史，奏請將雍正年間諸王文武群臣的譜牒、行述、家乘、碑誌、奏疏、文集，在京文臣五品以上，武臣三品以上，外任官員司道總兵以上，身後具述歷官治行事蹟，敕令八旗直省查明申送國史館，以備採錄傳述。經總理事務王大臣議准辦理，諸臣章奏有奉旨及部院議准者，亦應錄送，作爲志傳副本（註六）。同年十月，國史館總裁大學士鄂爾泰等進呈太祖高皇帝本紀，其他各朝本紀仍在編纂中。鄂爾泰等欲俟四朝本紀編纂完竣後，始將表志列傳等項，次第排纂。清高宗恐曠日持久，成書太遲，故諭令一面辦理本紀，一面排纂表志列傳。乾隆三十年（一七六五），宗室王公功績表傳告成。清高宗以國史館原纂列傳，僅有褒善，惡者貶而不錄，不足以傳信。因此，降旨重修，並飭詳議條例。同年，國史館總裁等議覆開館事宜，滿漢大臣定以官階分立表傳，旗員自副都統以上，文員自副都御史以上，外官督撫提鎮等凡有功績學行，或獲罪廢棄原委，俱爲分別立傳。清高宗以國史館所議尚未詳備，列傳體例，以人不以官，不當以爵秩崇卑爲斷，有表無傳者，必其人無足置議，有傳無表者，必其人實可表章。質言之，凡居官事蹟無多者，僅列入國史大臣年表，不立專傳。

清初以來，國史館承辦各書，當每一書告成時即繕寫正本，奏請移送皇史宬尊藏，但臣工列傳向來是按季分單陸續進呈，仍發還館中收存。因纂輯並非出自一人，其體例參差不一，而且每傳各為一册，卷帙未分次第。亦有立傳在先而追加爵銜謚法廕卹在後，以及身後削奪職銜者，俱須覆加檢輯，畫一體例，方可尊藏，昭垂永久（註七）。清高宗亦指出從前編纂列傳時是彙總進呈，未及詳加確核，抑揚出入，難為定評，所以在乾隆三十年特頒明旨，簡派總裁，董率纂修各官，將清初以來滿漢大臣已編列傳者，通行檢閱，核定事實，增刪考正。其未編列傳的文武大臣，京官自卿貳以上，外官自將軍督撫提督以上，綜其生平事蹟，各為立傳，並令博採旁搜，舉凡儒林、隱逸及列女等俱覈實兼收，另為立傳（註八）。

國史館所修列傳，分為漢字列傳與清字列傳，清字即滿文列傳，國立故宮博物院現藏清代國史館的列傳稿本主要為漢字列傳，清字列傳僅存三十餘本。清高宗在位期間，曾屢飭國史館趕辦列傳，例如乾隆四十五年四月，軍機大臣遵旨交查國史館稱「所有睿親王、鄭親王、豫親王及國初三大臣等表傳，纂輯已久，何以未見進呈？大學士于敏中故後，此書何人接辦？」是月十六日，據國史館覆稱「四十三年正月初十日奉旨復還睿親王封號，交國史館恭照實錄所載事蹟，增補宗室王公傳內，又諭武功、慧哲、宣獻、通達四郡王事實交國史館補為立傳，附於宗室王公之後，欽此。隨經大學士于敏中派令纂修官彭紹觀、管幹珍二員承辦。現在武功、慧哲、宣獻、通達四郡王傳、恪恭貝勒傳，又重辦睿親王傳俱已完藁，因現有滿漢大臣列傳備進，是以尚未繕寫正本進呈。」（註九）乾隆四十八年十月，清高宗飭國史館諸臣將乾隆四十年以前表傳速爲纂辦，勒限五年，陸續進呈。其中蒙古王公表傳，原限四十八年二月完竣，原定二十八卷，後增纂至六十四卷，但至乾隆四十九年七月，僅進過十四卷，經奏請展限至次年四月完竣。宗室王公表傳，原定十卷，限四十八年五月完竣，亦因逾限奏請議處。乾隆五十三年十二月，清高宗諭令國史館將乾隆四十年以後至五十年王公大臣表傳查據內閣紅本及軍機處檔案，詳悉纂輯，以次進呈。國史館進呈列傳，平均每月至少應在十本以上，惟國史館諸臣纂修列傳，進度既遲緩，數量亦少。例如乾隆五十七年自六月至八月，三個月內共進過滿漢字列傳各四本，逆臣列傳二本，共計十本，未達預定進度，於是國史館總裁及纂修各官俱奉旨交部察議（註一〇）。

國史館纂輯列傳，固然講求體例，尤重書法，雖一字褒貶，亦必求其至當。清初纂修列傳，對於明季諸臣，概從貶斥，清高宗頗不以爲然。例如乾隆三十一年，國史館進呈新纂洪承疇列傳，於前明唐王朱聿釗加書「僞」字。清高宗指出一字所繫，予奪攸分，明朝至崇禎十七年，其統雖亡，但福王在江寧，尚與宋室南渡相彷彿，且唐王爲明室子孫，其封號承自先世，並非異姓僭竊，因此，特降明旨，不當加書「僞」字，不必概從貶斥（註一一）。至於人臣身終後，或書「卒」，或書「故」，義例綦嚴，不得誤用。據清高宗所定列傳書法，人臣立品無訾，有始有終者，方得書「卒」。乾隆五十七年十一月間，清高宗披閱錢玨、蔡珽列傳。據載錢玨爲御史時，參劾山西巡撫穆爾賽貪婪，並條陳各款，似有風裁，及用至巡撫時，輒於所屬知縣婪贓情事，聽受私書，徇情銷案，不能自踐其言。蔡珽在雍正初年曾極陳年羹堯的種種貪暴，及擢至總督後，竟挾嫌誣陷岳鍾琪、田文鏡，袒護黃振國，以至獲罪。在二人列傳內，對其身故，俱書作「卒」，體例皆未允協，故飭國史館將二人傳末俱改書為「故」，並頒諭稱「嗣後除特行予謚，及入祀賢良祠者，自當書卒外，其雖無飾終之典，而品行克保厥終者，仍一例書卒。若初終易轍，營私獲罪之人，傳末止當書故，不得概書為卒。」（註二二）質言之，人臣言行始終無玷者，始可稱之為卒，凡是言行不符，朋比取戾，營私獲罪者，概書為故，以便與立朝本末粹然者，有所區別。自乾隆年間以降迄清季光緒末年，國史館纂輯列傳，始終不曾間斷。現藏清代國史館的列傳，主要為兩大類：一類為乾隆年間以降陸續進呈的朱絲欄寫本；一類為傳包內所存的各種稿本，其數量均極可觀。

三　現藏清代國史館朱絲欄寫本的列傳

清代國史館朱絲欄寫本的列傳，有原纂本、續纂本、改訂本及定本的分別，包括親王列傳、宗室列傳、大清國史宗室列傳、欽定宗室王公功績表傳、欽定外藩回部王公表傳、欽定續纂蒙古回部王公表傳、欽定續纂外藩蒙古回部王公傳、欽定續纂外藩蒙古王公傳、國史忠義傳、國史忠義傳正編、國史忠義傳次編、國史忠義傳續編、清史滿蒙漢忠義傳、欽定國史忠義列傳、大清國史功臣列傳、大清國史大臣列傳、清史滿漢大臣列傳、清史大臣列傳、清史大臣列傳續編、國史大臣列傳正編、國史大臣列傳次編、國史大臣列傳續編、欽定國史大臣列傳正編、欽定國史大臣列傳次編、欽定國史大臣列傳續編、清史儒林傳、清史文苑傳、清史循吏傳、清史貳臣傳甲編、清史貳臣傳乙編、欽定國史貳臣表傳、清史逆臣傳、欽定國史逆臣列傳、昭忠祠列傳續編等，合計約一千六百餘冊，或一人爲一冊，或數人爲一冊，列傳人物，合計約六千餘人，較中華書局出版「清史列傳」所載人物多達一倍以上。國史館朱絲欄寫本的列傳，因屢經改訂，故有重複者，例如現存多爾袞列傳共計四冊，分別見於大清國史宗室列傳卷二、卷四及親王列傳。親王列傳不分卷，其中題爲「知碩睿忠親王多爾袞列傳」一冊，內容較簡略，不附表，另一冊題爲「睿忠親王列傳」，記事較詳，末附王爵承襲世次表。李永芳列傳共計四冊，分別見於貳臣列傳甲編、清史列傳、清史功臣列傳、欽定國史貳臣表傳。又如閩浙總督滿保即覺羅滿保，大清國史大臣列傳卷二八作覺羅滿保列傳，而國史大臣列傳九三則作滿保列傳。各列傳除本傳外，多含附傳，例如欽定國史忠義列傳卷七爲滿洲人七十一列傳，其附傳包括存柱、巴金、常住、伊郎阿、瑞琳、富通阿、韋和、阜慶、凝祿、音德赫、增福、德勝、卓凌阿等十三人。又如忠義列傳卷十訥清額本傳內含有豐盛圖等三十四人的附傳。在朱絲欄寫本內雖然同一人常有重複數傳，但因本傳以外，多含有附傳，減除重複各傳後，其總人數實相差無幾。在這些列傳內，包含清代各朝的文武功臣等，清初人物較多，間有清末的大臣列傳，例如丁日昌、丁寶楨、賽尚阿、文祥、左宗棠、向榮、毛昶熙、毛鴻賓、江忠源、沈桂芬、沈葆楨、何桂清、李鴻章、李鴻藻、李瀚章、李鶴章、曾國藩、曾國荃、曾紀澤、葉名琛、薛福成、薛煥、雷以鍼等。在儒林傳內如方東樹、梅文鼎、魏源等列傳，俱書明「陳伯陶總輯」字樣。朱絲欄寫本內，在原輯本及增訂本中多粘貼黃簽，重繕改訂。例如國史忠義傳，爲素紙封面，稱爲原纂進呈本。除素紙封面外，另有黃綾本，於封面飾以黃綾，內含黃綾進呈本與黃綾定本，例如大清國史功臣列傳，屬於黃綾進呈本，粘簽改訂，板心不書人名，其中扎爾固齊費英東列傳首頁粘貼紅簽，書明「纂修朱佩蓮重校，謹案每篇列傳有以賜號及人名連書者，在標題則可，在傳內必須分明，以免後人疑惑，如扎爾固齊，賜號也，費英東，人名也。列傳首句似宜書費英東，滿洲鑲黃旗人，其第七行妻以女孫下添入賜號扎爾固齊六字。」扎爾固齊，蒙文讀如「Jargūci」，意即審事人，其職掌為聽訟治民（註一三）。在朱絲欄寫本內冠以「欽定」字樣者，則屬於黃綾定本，例如欽定國史大臣列傳正編、次編、續編、欽定國史逆臣列傳等，板心書寫列傳人名。其粘貼黃簽者已屬罕見，在欽定國史貳臣表內如乙編上原載馬光遠諡誠順，乙編中馮銓諡文敏，乙編下党崇雅諡文清，修成定本後，旋奉旨追削諡號，故粘貼黃簽，書明「擬削」字樣。各類列傳，都有其凡例，例如大清國史宗室列傳所載凡例為：「一凡列聖諸子，無論有無封爵及得罪削爵除籍，俱按名立傳；一凡列聖諸子之子孫，其襲封者，自王以下，至輔國將軍以上，無論有功及得罪，俱附於祖父傳後，仿世家體，各為立傳；一凡列聖諸子之子孫，其支庶有官至一品及顯樹功烈者，亦附傳於祖父傳後，餘則第於宗室表中見之，概不立傳；一凡宗室王貝勒以下至輔國將軍，其順治年間授封者，俱按名先行立傳，至康熙年間授封者，俟恭進訖，再查明具奏，續行立傳。」

中華書局出版「清史列傳」所刊宗室王公傳計三卷，將代善、阿濟格兩人置於卷一，但大清國史宗室列傳計五卷，卷一為景祖及顯祖諸子，卷二至卷四為太祖諸子，卷五為太宗諸子，而且在內容記載上有很大的出入。例如代善列傳敘述天命十一年八月擁立太宗皇太極的經過，據「清史列傳」云「十一年八月，太祖龍馭上賓，岳託偕弟台吉薩哈璘議以告父代善曰：四貝勒才德冠世，深契先帝聖心，衆皆悅服，當嗣大位。代善曰：此吾素志也，天人允協，其誰不從。代善告阿敏、莽古爾泰及衆貝勒，皆曰：善，遂合詞請太宗文皇帝嗣位。」（註一四）大清國史宗室列傳則云「十一年八月庚戌，太祖上賓，代善於諸子中最長，至功德茂異，夙有君人之度，衆望尤屬太宗，特諸貝勒大臣以次序素定，未敢言也。代善慨然與子岳託、薩哈璘自作議書，具言紹承大統，必得聖君，始能戡亂致治，以成一統大業，自顧德薄，願共推戴太宗嗣位，入朝，遍示大貝勒阿敏、莽古爾泰及諸貝勒阿巴泰等，衆皆大喜。」兩書同述一事，彼此歧異。因清太祖臨終前並未立皇太極的遺訓，故皇太極的即位問題，中外學者的討論，莫衷一是。據清代實錄等官書記載，首先倡議擁戴皇太極繼承汗位者爲岳託、薩哈璘，大清國史宗室列傳却謂由代善首先提議。尤其文中所稱「代善於諸子中最長」、「次序素定」等語，寓意深長。

國史館對降清的明臣別立貳臣傳，欽定國史貳臣表傳附錄史臣案語，略謂「史家類傳之名，儒林、循吏、游俠、貨殖，創由司馬，黨錮、獨行、逸民、方術，昉自蔚宗，厥後沿名隸事，標目實繁。顧四千餘年，二十二家之史，從未有以貳臣類傳者（下略）。」朱絲欄寫本洪承疇列傳末書「今上乾隆四十一年十二月詔於國史內增立貳臣傳」等語，「今上」即清高宗，由此亦可知洪承疇列傳就是乾隆年間的進呈本。清高宗令國史館總裁等將諸臣仕明及仕清朝的降臣，查考姓名事實，編列貳臣傳，據實直書，以補前世史傳所未及（註一五）。明臣降順後，其立朝事蹟，各不相同。洪承疇南征，頗樹勞績，李永芳亦屢立戰功，始終効忠於清朝。至如錢謙益率先歸降，却於詩文內極力詆毀滿人，進退無據。龔鼎孳曾降流寇，接受偽職，後又投順清朝，而再仕以後，靦顏持祿，毫無事蹟。若與洪承疇等同列貳臣傳，不示等差，實不足以彰善癉惡。乾隆四十三年二月，清高宗命國史館總裁將明季貳臣傳，詳加考覈，分為甲乙二編。現藏「欽定國史貳臣表傳」，內含表一卷，傳六卷，俱分上中下三部分：凡明臣投誠清朝後遇難殉節者如劉良臣等列於甲編上；明臣投誠清朝後著有勳績者如李永芳等列於甲編中；明臣投誠清朝後略有勞效者如祝世昌等列於甲編下。明臣投誠清朝後無功績可紀者如孫得功等列於乙編上；明臣投誠清朝後曾經獲罪者如夏成德等列於乙編中；明臣先從流寇，後降清朝及初為流寇黨與降明後又投誠清朝者如梁清標等列於乙編下。其餘雖身事清朝，而在前明時僅登科第未列仕版者，則不必概列貳臣傳。乾隆五十四年六月，國史館進呈貳臣傳乙編薛所蘊、張忻等列傳。據清高宗指出薛所蘊、張忻二人先經順從流寇，後始投降滿清。嚴自明等既經投誠，於尚之信起事反清時即歸順尚之信，三藩兵敗後又與尚之信同降滿清，反覆無常，進退無據。至如馮銓、龔鼎孳、金之俊、錢謙益等人，其行蹟亦相仿，不可與李永芳等相比，不值為之立傳，因此降旨，令國史館將其列傳概行撤去，僅為立表，排列姓名，摘敘事蹟。同年十二月，清高宗復頒諭旨，以吳三桂、耿精忠等降而復叛，「靦顏無恥」，不得稱為貳臣，特立逆臣傳，另為一編，使其生平穢蹟，難逃「斧鉞之誅」（註一六）。

四　現藏清代國史館的傳包

清代國史館的傳包，包括兩大部分：一爲國史館纂修的各種列傳原稿，有初輯本、重繕本、校訂本、增輯本及定稿等的區別；一爲國史館爲纂修列傳所咨取的各種傳記資料。國史館所立列傳，包含宗室傳、大臣傳、儒林傳、孝友傳、學行傳、文苑傳、循吏傳、名宦傳、隱逸傳、忠義傳等。中華書局出版「清史列傳」，不含孝友、學行、名宦、隱逸等傳。傳包內的列傳，以忠義傳人數爲最多，其中武職人員包括總兵、副將、參將、遊擊、守備、防禦、佐領、參領、協領、前鋒、驍騎校、都統、副都統、都司、千總、把總等，多不見於「清史列傳」。列傳人物清初較少，清末人數較多，資料亦較豐富。在循吏列傳內如李棠、李森、周際華、周灝、施沛霖、秦聚奎、曹大任、郭文雄、郭世亨、陳宗海、陳朝書、張楷、張衡、焦雲龍、雲茂琦、景其沅、彭洋中、雷銘三、劉世墀、劉衡、劉遵海、鄭仲、薛時雨、魏式曾、嚴以盛、竇以筠等人的列傳，俱不見於「清史列傳」。其餘人物不見於「清史列傳」者，實不勝枚舉。傳包原封間亦書明纂輯、校閱人員的姓名，例如丁日昌傳包，其原包封紙外書明「施老爺紀雲校輯」字樣，岑毓英傳包，其原包封紙外書明「陳老爺田纂輯，張老爺星吉覆輯，李大人閱，光緒二十一年夏季三單。」內含傳稿四本，其中三山齋本封面書明「協修陳田纂輯」字樣，其餘三本，分別爲重繕本，校訂本及定稿。陸在新傳稿計三本，其中三山齋本是由張履春纂輯，是爲初輯本。第二本則由李嘉猷繕寫，任端斌校對，纂修尹慶舉覆輯。此本是據初輯本繕抄，內多增删。第三本封面右下角書明「吳廷獻繕寫，趙壽松校對」字樣，是傳包內的定稿。左宗棠傳稿計五本，其中一本題爲「重輯左宗棠傳稿」，封面粘簽云「此本左文襄傳，係原傳呈進後，查有漏略，重爲纂輯，事蹟較詳，考覈確實，應行存館，俟辦畫一傳時，可據此爲正本，十六年十二月十六日記。」左宗棠卒於光緒十一年七月，此十六年，即光緒十六年，左宗棠列傳重輯本就是「清史列傳」大臣畫一傳的正本。

傳包的內容，除傳稿外，多保存了當時爲纂修列傳而咨取或摘鈔的各種傳記資料，例如事蹟册、事實清册、訃聞、哀啓、行狀、行述、咨文、履歷片、出身清單、奏摺、片文、祭文、年譜、文集、政績或功績摺等俱爲珍貴的列傳資料。其中事蹟册是據上諭檔、月摺檔、奏摺、議覆檔、勦捕檔、外紀等檔案，摘錄簡略事由，按年月先後排比。上諭有明發上諭與寄信上諭的區別，「樞垣記略」云「特降者曰內閣奉上諭，因所奏請而降者曰奉旨，其或因所奏請而即以宣示中外者，亦曰內閣奉上諭，各載其所奉之年月於前，述旨發下後即交內閣傳鈔，謂之明發，其諭令軍機大臣行，不由內閣傳鈔者謂之寄信。」（註一七）君主特降的諭旨，由內閣傳鈔後宣示中外，故又稱爲明發上諭，並冠以「內閣奉上諭」字樣。明發上諭，初由大學士撰擬，乾隆年間以降，已由軍機大臣撰擬。寄信上諭由軍機大臣撰擬呈覽，經述旨後交兵部，以寄信方式由驛馳遞，因其寄自內廷即軍機處，故習稱爲廷寄（註一八）。奏摺是臣工呈遞君主的文書，月摺檔則是據奏摺選鈔後裝釘而成的檔册，議覆檔爲軍機大臣遵旨議奏的檔册，勦捕檔爲選鈔辦理地方事件的奏摺裝釘而成的檔册，外紀檔爲內閣漢票籤處所鈔外省奏摺的檔册，皆具有頗高的史料價值。例如丁日昌傳包內，除傳稿外，尙存有事蹟册二本，其中一本爲松竹齋朱絲欄稿紙，是摘錄同治年間的上諭、奏摺、勦捕三種檔案的資料。另一本事蹟册則爲摘鈔咸豐、同治、光緒三朝的上諭、月摺、奏摺、勦捕、外紀五種檔案的資料。耆英傳包內，除傳稿外，尙存有事蹟册四本，一本摘鈔道光四年至三十年的廷寄、剿捕檔，一本摘鈔道光二年至三十年的月摺、奏摺、議覆、夷務、回疆等資料，一本摘鈔道光三年至三十年的外紀檔，一本摘鈔嘉慶二十年至咸豐八年的上諭檔，以上所鈔，或爲耆英摺奏事件，或耆英奉旨事件，即所謂官方的傳記資料。

事實清册，是由各地方造送國史館的傳記資料，例如嘉慶七年九月，浙江桐鄉縣知縣李廷輝呈送馮浩事實清册一件，書明造送清册緣由云「嘉興府桐鄉縣呈爲公舉題請崇祀鄉賢事，卑縣今將故監察御史封鴻臚寺卿馮浩行過事實，造具清册，呈送察核施行，須至册者。」文中開列馮浩事實，略謂「已故御史馮浩字養吾，號孟亭，浙江桐鄉縣人。雍正十二年，入縣生。乾隆元年丙辰恩科，本省鄉試舉人。十三年戊辰科，殿試，二甲進士，改翰林院庶吉士。十六年辛未，散館，一等。授職編修。壬申春，充順天鄉試同考官，秋，充會試同考官，教習庶吉士，充咸安宮學總裁，續文獻通考館纂修。丙子，江南副考官，陞掌山東道監察御史。丁丑，會試監試，殿試監試。丁憂服滿，告病在籍。五十五年，以子應榴官誥封中憲大夫，戶科掌印給事中，加二級。六十年，奉恩旨重赴鹿鳴宴，封鴻臚寺卿。嘉慶六年六月，卒於家，年八十有三。」又如江南寧國府宣城縣造送阮爾詢等事實清册，其記載與「國朝耆獻類徵」阮爾詢本傳略有出入。據事實清册載阮爾詢於康熙二十一年壬戌，進士，欽點翰林院庶吉士，於二十四年散館，以科道用。二十七年，補授廣東道御史。阮爾詢本傳謂康熙二十三年奉旨以科道用。二十四年，丁父憂回籍，服闋，補廣東道監察御史。其餘出入尚多，而且詳略亦不同，例如事實清册載阮爾詢於康熙二十八年六月二十二日疏請採行三聯串票，以杜錢糧私徵雜派的積弊，原疏略謂「錢糧雖有全書，而輸納總憑印票。今各省州縣錢糧分十限完納，小民所納之數，多寡不均，皆今自經於印票中。其票一樣貳紙，一存官，一付民應比，法至善也。歲久弊滋，吏胥緣以爲奸，往往磨對爲名，收入應比之票，久不給發，遂有已完作未完，多徵作少徵者，且印票不發之後，民間完欠無據，而官吏反得借逋負之名肆行其誅求，私派悉由於此。臣請行三聯印票之法，一存官，一付民應比，一付民自執，其應比之票，令州縣官收入核對，不必給發，至自執之票，不難完欠瞭然，而官吏知民有自執之票可據，斷不敢以已完作未完，多徵作少徵矣。至正編之外，一切雜稅之銀兩米豆之升合，皆可以此法行之，私徵雜派之弊，何難不禁而自止乎！」州縣徵收錢糧，以完作欠，徵多報少的現象，極爲普遍。事實清册所載疏請採行三聯印票一節，似即鈔錄原疏進呈，阮爾詢本傳所述杜絕錢糧積弊辦法則甚簡略，因此，事實清册實爲珍貴的史料。光緒九年十二月，武進陽湖縣教諭姚定山、訓導朱瑞呈送孫星衍事實清册，封面書明「武進陽湖縣儒學呈」字樣，首頁敍明册送緣由，本文內開列孫星衍生平履歷，此外附呈「武陽邑志文學傳」、「先正事略經學傳」等。阮元所撰孫星衍本傳，即據先正事略經學傳等資料彙輯成編。

張之洞傳包內，除傳稿外，另存有「哀啓」、「訃聞」等，前者由張權、張仁樂、張仁沉、張仁實、張仁蠡具名，啓文中指出張之洞前後身膺疆寄垂三十年，「無一日不辦事，無一事不用心。」「生平不喜藥，病亦不服，以是致疾之故多途，而防患之法甚鮮。甲午秋，在兩江患痔匝月。庚子冬，復患痔匝月。癸卯，留京，手訂學堂章程，凡十餘萬言，痔疾復大作。」文末對張之洞的病情、醫療經過，敍述甚詳。另存訃聞一紙，封面左下角書有「幕設地安門外泉斜街本宅」字樣，全紙上下寬約五十三公分，左右長約七五四公分。在國史館傳包內間亦存有行狀、行述等，行狀是記述死者行誼及其爵里生卒年月的一種文體，漢代祇稱作狀，自六朝以後始稱爲行狀，因其爲乞人撰文而作，故稱之爲行狀。行述，又作事略，亦即行狀，近人敍述死者行義徵求銘傳的文字，多稱爲行述。俱不失爲重要的傳記資料。年譜，是用編年法記載一人生平的資料，主要爲後人就其著述及官私資料所載事實而考訂編次的紀載，近世亦有出於自作或子孫爲之編訂者。片文爲禮部、吏部等衙門聲覆國史館的簡單文書，因以片紙繕寫而得名。例如張之洞傳包內存有吏部及禮部片文，其中吏部片文書明緣由「爲覆大學士孫家鼐、張之洞履歷由」，片文內容云「吏部爲片覆事，准國史館片稱本館現辦已故大學士孫家鼐、張之洞二員列傳，應查明該故員等係何省何縣人？由何項出身？並歷任升遷各年月日，希卽詳細聲覆，以便纂輯等因前來，相應將該二員履歷鈔錄片覆可也，須至片者，右片行國史館。」傳包內的履歷單就是由吏部開送各員出身及歷任升遷的經歷清單，各傳包多存有片文及履歷單。例如在兩江總督牛鑑傳包內存有吏部開送的履歷單及牛鑑原籍涼州府武威縣知縣蘇文炳造送的出身清册。其出身清册內首先敍明造册緣由云「同知銜涼州府武威縣爲造齎事，遵將前兩江總督牛鑑出身，並歷任陞遷各年月日，理合造具清册齎核，須至册者。」易言之，出身清册與履歷單，性質相近，惟履歷單是由吏部造送，而出身清册則由地方造呈，兩種資料，詳略不同。例如履歷單謂「兩江總督牛鑑，甘肅人。嘉慶十九年，進士，由庶吉士散館。二十四年四月，授編修，八月，充國史館協修（下略）。」出身清册則稱「前兩江總督牛鑑係甘肅涼州府武威縣人，由廩膳生於嘉慶十八年癸酉科選拔貢生，鄉試聯捷中式舉人。十九年甲戌科貳甲進士，改翰林院庶吉士。

二十四年，散館，授職編修。二十五年七月，充國史館纂修官。」又據履歷單載道光十一年六月，牛鑑補授雲南糧儲道，出身清册則繫於是年五月二十七日，其餘出入之處尚多，不勝枚舉。此外如政績或功績摺等，多由地方開造，咨送國史館，即所謂宣付史館的資料。清代國史館爲纂輯列傳，咨取各種傳記資料，其可信度亦高，館中諸臣排比考訂官私資料，彙編成稿，然後將各種資料，與列傳稿本，包封一處，而保存了珍貴的原始傳記資料。

五　現藏清代國史館的長編檔册

長編檔册是清代國史館爲纂輯列傳而彙鈔的檔册，在性質上是屬於一種史料。作編年史者，首先摘取各種資料，按次排列，這種史料彙編，在體例上來說，就是一種長編。宋代司馬光修資治通鑑，先採摭異聞，按年月日作叢目，叢目既成，乃纂長編，復加删節，始成通鑑。因此，事無闕漏，而文不繁，實爲史家的遺法。其後李燾紀載北宋九朝史事，亦踵通鑑體例，編年述事，成續資治通鑑長編，李燾謙稱長編，不敢稱爲續通鑑，即表示其書僅爲史料的彙編，以備修通鑑者的採擇，所以寧失於繁，而不失於略。

清代長編檔册，包括長編總檔與長編總册二類。總檔是國史館長編處咨取內閣、軍機處的上諭、外紀、絲綸、廷寄、月摺、議覆、剿捕等檔案，分別摘敍彙鈔成編。其中絲綸簿是漢票籤處摘記紅本即題本事由及硃批聖旨的簿册，取「王言如絲，其出如綸」之義（註一九）。長編總册則為總檔的目錄，亦即人名索引。以總檔為經，人名為緯，按日可稽。例如光緒十年正月分長編總檔，初三日載「張樹聲奏陳遵辦廣東海防情形。覽奏均悉，著該督隨時會商彭玉麟、倪文蔚，督飭各軍力守虎門，並將此外各口扼要嚴防，毋稍疏懈。」同日，長編總册的記載為「張樹聲、彭玉麟、倪文蔚。」由此可知長編總册就是長編總檔的目錄，頗便於纂輯列傳。

辦理道光十六年至二十五年總檔凡例內詳述其史料來源，原文略謂「一移取內閣書三種鈔錄存館，首上諭檔，凡臣工除授、罷斥、褒功、論罪應入傳者，照原文恭錄，其餘關係地方百姓交各督撫辦理者，恭節數語，雙行註明，內中有人名者，必須敍出。次外紀檔，可以存館，不必全錄各疏，將特旨允行及王大臣覆准交外省督撫查議者，俱節錄案由，仍帶敍人名，交部議者歸入絲綸簿，覆奏日期不必摘敍。次絲綸簿，吏兵二部題補文武官員，內而九卿翰詹科道，外自府道以上，旗員參領佐領以上，各省武員遊擊以上，恭照硃批原文錄入，凡部覆關係地方利弊建置沿革者，俱照簿內事由錄入，註明吏戶等科，每月之末，標是月某科清字本若干件；一移取軍機處檔案三種鈔錄存館，首上諭檔，除已見內閣檔外，凡特諭王大臣及廷寄外省事件，發謄錄繕寫，仍節數語，帶敍人名。次議覆檔，凡覆准事件，鈔錄記載與外紀相同。次奏摺，按日檢查，該部議奏者不必鈔錄，其應入傳者總括事由人名入檔，原文全錄另存，每月之末，標是月鈔軍機若干件；一各書內關涉宗室王公外藩蒙古事及文武大臣自陳履歷祭葬，檢查紅本史書，俱按年月各編一册，以便檢查。以上內閣書分三項，軍機亦為三項，標硃印於上方，應鈔存查本者，標硃印於下方，將內中人名另彙一册，以總檔為經，人名為緯，按日可稽，不致遺漏，先難後易，於編纂列傳有益，謹請裁定。」長編檔册的彙輯，既有益於列傳的編纂，足見總檔與總册俱為纂修列傳的重要傳記史料。

國立故宮博物院現藏清代長編總檔與長編總册，始於乾隆期，迄光緒朝，數量頗多。其中乾隆朝，或每季一册，或兩季一册，或全年一册，嘉慶以降，總檔增為每月一册，總册增為每季一册，間有譯漢長編總檔與總册，是譯自滿文的檔册。國史館彙輯列傳長編，先修底本，由供事摘敍各檔事由，硃批全錄，故又稱為摘敍本。乾隆、嘉慶兩朝，其底本的形式為小方本，長寬約二十三公分，道光朝以降，改為小長本，長約二十五公分，寬約十二公分。摘敍本由協修官或纂修官彙輯，並初校後，復經提調官覆輯或覆校，間亦由校閱官詳校，然後改繕清本，其長約三十公分，寬約十九公分。乾隆朝長編總檔清本，始自乾隆元年秋季，每季一册，總檔底本，始自乾隆三年秋季，兩季一册。清本經國史館總裁、副總裁閱定後正式繕定本，是為正本，長約三十公分，寬約十九公分，朱絲欄寫本。嘉慶朝以降，長編總檔正本，每月一册，長編總册正本，每季一册。由於長編檔册的資料來源頗為豐富，史料可信度亦高，記述內容簡明扼要，年經月緯，帶敘人名，查檢容易，實為纂輯大臣列傳最珍貴的史料彙編。

六　國史館傳稿的纂輯

清代國史館諸臣編纂列傳，是以吏部造送的履歷單為主，並輔以事蹟冊、奏摺、年譜等資料。例如徐用儀傳包內存有履歷單，其中同治年間的升遷如下：

「同治元年七月，記名以軍機章京補用，八月，在軍機章京額外行走。二年五月，在各國事務衙門行走。三年七月初四日，奉上諭，昨因江寧紅旗捷報，令軍機王大臣將滿漢軍機章京等分別等第，從優保奬五品銜刑部候補主事，徐用儀著無論題選咨留遇缺即補，並賞給軍功，加壹級，欽此。十二月十一日，補授雲南司主事。四年七月，在江南糧台捐免試俸。五年七月初二日，總理各國事務衙門循案保奬，請加四品銜。十月二十一日，奉上諭，此次軍機處繕修漢字檔冊，總司校勘之刑部主事徐用儀著俟題補員外郎後，遇有本部郎中缺出，不論題選咨留，即行奏補，欽此。六年十月二十七日，補授軍機章京。七年四月二十日，補授廣西司員外郎。七年，總理各國事務衙門保奏，請加三品銜，七月十六日，奉旨，七年七月十八日，奉上諭，昨因捻逆蕩平，紅旗報捷，降旨令恭親王等將滿漢軍機章京分別保奬，以示鼓勵，員外郎徐用儀著賞戴花翎，欽此。八年二月二十五日，補授湖廣司郎中。八年五月，方略館添派郎中徐用儀充纂修官。十一月初三日，引見，奉旨著記名以御史用，欽此。九年八月，方略館收掌兼纂修官著徐用儀充補。十年三月十七日，奉上諭，本日引見之截取郎中徐用儀著開缺，以五品京堂候補，欽此。十一年八月二十七日，奉上諭，恭親王等奏，纂輯剿平粵匪出力，方略告成一摺，恭親王等奉命纂辦數年，陸續呈進，尚屬詳悉，所有大小出力各員自應優奬，候補五品京堂徐用儀著俟補缺後，以四品京堂候補，並加隨帶貳級，欽此。十二年四月二十五日，奉旨補授鴻臚寺少卿，二十八日，到任，七月初二日，聞訃丁父憂。十三年正月，丁母憂。」

徐用儀傳稿計五本，分由鄧起樞纂輯，何作猷、章梫覆輯。徐用儀與許景澄、袁昶，並稱三忠。三忠傳稿覆輯後，袁昶傳增十三開，徐用儀傳增三開，三傳各有刪略之處，經閱定後，交供事鈔繕一分留國史館中。國史館徐用儀傳稿三山齋本爲現存傳包內的傳稿初輯本，其中記述同治年間的事蹟如下：

「同治元年，充軍機章京。二年，充總理各國事務衙門章京。三年，補主事。七年四月，補員外郎，七月，因捻匪蕩平，軍機大臣奏保賞戴花翎。八年二月，補郎中，五月，充方略館纂修。十年，奉旨開去郎中，以五品京堂候補。十一年，因剿平粤匪方略告成，奉旨俟補五品京堂後，以四品京堂候補。十二年四月，補鴻臚寺少卿，七月，丁父憂回籍。」

比較履歷單與傳稿初輯本後，得知徐用儀傳稿是據吏部開送的履歷單摘錄編纂而成，因列傳體例置月不繫日，履歷單詳載日期，傳稿將徐用儀升遷日期俱刪略不載，易言之，履歷單就是徐用儀傳稿的主要資料來源。

關於孫詒讓治學的經過及其著述，「清史稿」敍述頗詳。孫詒讓對於近代新式教育的提倡，厥功至偉，「清史稿」則略而不載。國史館協修官汪昇遠所纂孫詒讓傳稿爲初輯本，記載孫詒讓提倡教育一節云：

「詒讓居浙之溫州，僻處海濱，士鮮實學。詒讓於後進之請業者，甄植衆多，創立學計館及方言學堂，承學之士雲集飈起，浙中學子之開通，詒讓提倡之力居多。詒讓以溫處二郡距省窵遠，文化蔽塞，非設一總絜學務機關不能教育普及，呈請浙江巡撫特設溫處兩府學務處，大憲韙之。當事者公舉詒讓總理其事。又請以溫州校士館改爲師範學堂，以小學所需格致教員孔亟，乃一再開設博物理化講習所，其中畢業諸生，多好學深思之士，辦學三載，兩府中小學堂，增至三百餘所，所籌各款，均與地方官紳切實規畫，其苦心孤詣有足多者（下略）。」

檢查孫詒讓傳包內的資料，存有軍機處聲覆國史館片文，並粘貼翰林院侍讀吳士鑑於光緒三十四年八月初十日奏請將已故刑部主事孫詒讓宣付國史館列入儒林傳原奏一件，其中有關孫詒讓提倡教育一節云：

「詒讓於後進之諸業者，甄植甚衆，創立學計館及方言學堂，承學之士雲集飈起，浙中學派之開通，實詒讓提倡之力。溫處二郡離省窵遠，文化阻塞，謂宜立一總絜學務之機關，請於浙江巡撫，設溫處兩府學務處，當事者公舉詒讓總理其事。復請以溫州校士館改爲師範學堂，以小學所需格致（教）員甚亟，乃開兩次博物理化講習所，畢業者皆好學深思之士。詒讓辦學三載，兩府中小學堂增至三百餘所，而所籌之款，均與地方官紳切實規畫，其苦心孤詣有足多者。」

對照前引吳士鑑原奏及傳稿初輯本，其遣詞用字，俱極相近，汪昇遠纂輯孫詒讓傳稿，其中於提倡近代新式教育一節，是鈔襲吳士鑑原奏文句，不遑增刪潤飾。由此例證，可以瞭解纂修列傳的資料來源及編算列傳的過程或步驟。

雷以誠傳包內存有傳稿三本，其中張筠所纂傳稿爲初輯本，計五十開，標明史料出處，內含年譜、月摺、外紀、上諭、剿捕、奏摺等資料。周錫恩覆輯本則據初輯本重繕後加以刪改，減爲二十一開。「清史稿」列傳謂雷以誠字鶴皋，但據傳包內所存雷鶴皋年譜略的記載，雷以誠字省之，號春霆，一號鶴皋。年譜略記載道光年間雷以誠的升遷情形如下：

「道光辛巳，恩科舉於鄉。癸未，成進士，改主事，分刑部，歷任山西司主稿。乙未，奉旨管理提牢廳。十七年丁酉，提補河南司主事。十九年乙亥，隨同黃樹齋（爵滋）少司寇出使查辦豐潤令許君瀚事，雪其誣狀，得僅罷官歸，復奉旨查辦浙閩事件。尚未囘都，又赴廈門辦案，同事者有浙江司主事羅六湖（天池），所有會審具奏各案，均係公先行起草，計共四十餘件，悉稱旨。十二月二十六日，差竣囘都。二十一年辛丑，提升廣西司員外郎，調辦福建司事，送考御史，名在第五，奉旨記名。是年四月，提升江西司郎中，八月，引見，補授山東道監察御史。壬寅，兼署掌江西道，並署刑科給事中。二十三年，轉掌貴州道。甲辰，奉旨稽查海運倉，又欽命巡視中城。二十五年乙巳，方奉旨監試滿中書科，時在場內，未得隨班引見，忽報稱已升授禮科給事中，蓋特恩也。公在科道任內奏錢法十二條，雖被部駁，聞者莫不服其籌策之精，又條陳河工者三，陳夷務者一，陳鄉會科場事務者一，又有彈劾密摺，均次第舉行，戶部庫丁侵盜一案，查庫大臣及其子孫因賠繳監追者紛紛，公以爲既曰罰賠，究與實犯眞贓有別，因密摺婉轉陳情，奉特旨釋放。時久旱，忽大雨滂沱，中外有雷公雨之稱。二十六年丙午，轉補兵科掌印給事中。丁未，升授內閣侍讀學士。是年十一月，轉補太常寺卿少卿。己酉，補授大理寺少卿。是年八月，補授奉天府府丞，兼學政。」

張篘所纂雷以誠傳稿初輯本，其中道光年間的事蹟如下：

「雷以誠，湖北咸寧人，道光三年進士，以主事用，分刑部。十五年，管理提牢廳。十九年，隨刑部侍郎黃爵滋查辦直隸豐潤縣知縣許瀚事，雪其誣狀，尋隨查辦浙閩事件，赴福建屬之廈門辦案。二十一年，升員外郎，旋記名御史。二十二年，兼署掌江西道御史，並署刑科給事中。二十三年，轉掌貴州道御史。二十五年，擢禮科給事中。二十六年，轉兵科掌印給事中。以誠先後條陳河工者三，夷務者一，又戶科庫丁侵盜一案，查庫大臣及其子孫因賠繳而監追者多，以誠疏言，既曰罰賠，究與實犯眞贓有別，因得恩旨釋放。二十七年四月，擢內閣侍讀學士，十一月，轉補太常寺少卿。二十九年六月，遷大理寺少卿。八月，授奉天府府丞，兼學政。」

比較前引二文的記載，出入不多，張篘所纂雷以誠傳稿初輯本，即據雷鶴臯公年譜略輯錄成編。惟對照吏部所開雷以誠履歷單的記載，雷以誠於道光十六年四月二十六日奉旨管理刑部漢提牢，初輯本與年譜略並未詳考，而誤繫於十五年。其題升江西司郎中在二十二年四月，八月，補授山東道監察御史，年譜略與傳稿初輯本繫於二十一年，俱誤。二十四年十月，補授禮科給事中，年譜略與初輯本繫於二十五年，亦誤。對照各種資料，實以官文書較爲可信，就官員升轉記錄而言，政府檔案的可信度，實高於私家撰述。

張之萬傳包內存有吏部片文，並粘貼覆大學士張之萬出身履歷單，事蹟册、張文達公遺集、行述未定稿、年譜稿等傳記資料，其中年譜稿計二本，共二三卷，遺集計二本，共四卷。此外存有傳稿五本，其中三山齋本為傳稿的初輯本，為欲瞭解國史館纂輯列傳的經過，特以初輯本道咸年間的事蹟為例，以〔 〕號標明史料出處：

「張之萬，直隸南皮人〔行述未定稿〕。道光二十七年，一甲一名進士，授修撰〔履歷單、年譜稿本、行述未定稿〕。二十九年，充湖北副考官〔履歷單、年譜稿本、行述未定稿〕。咸豐元年，充河南正考官〔履歷單、年譜稿本、行述未定稿〕。二年，大考二等，提督河南學政〔履歷單、年譜稿本、行述未定稿〕。三年，賊匪竄犯河南歸德，省城戒嚴。之萬馳奏言河南為南北關鍵，開封為通省根本，陝汝一帶為山陝門戶，如虎牢環轅等關，頗有險可守，然兵力太單，計惟速遣勁旅援救，以滅方起之氛，而調山陝之兵防守各險，以堵再竄之路，復令山東、直隸協守黃河渡口，防其北擾，令安徽分兵由陳許進剿，斷其南逃，庶賊匪可以蕩平，擬軍務八條入告，先後報効軍餉，下部優敍〔張文達公遺集，奏議〕。」

張文達公遺集，卷二，收錄張之萬奏議頗多，其中咸豐三年分，計有：六月初六日，請速遣師援汴，并籌防河陝汝摺；六月十六日，賊匪由鞏渡黃宜防各渡摺；八月初一日，請速催解懷慶之圍，并擬剿防事宜摺，附陳軍務八條。此外附有夾片二件：六月初六日，請派大員督辦團練片；六月十六日，嚴守太行山各隘防賊西擾片，俱為傳稿所本。國史館咨取多種資料，經館臣彙編考訂，始成傳稿。

岑毓英傳包所存傳記資料，亦極豐富，包括頭品頂戴雲南等處承宣布政使司造呈原任雲貴總督岑毓英事略緣由清册一本，誥授光祿大夫太子太保雲貴總督贈太子太傳諡襄勤顯考岑府君行狀一本，岑毓英事蹟一本，奏稿一本，祭文一紙，雲貴總督覆岑毓英履歷咨文一件，附咨送清册一本，吏部片覆岑毓英出身一紙，軍機處交片一件，禮部片文一件，雲南巡撫文一件，鈔奏一件。其中奏稿爲木刻本，內容與鈔奏相同。此外尚有傳稿四本，其中三山齋本封面書明協修陳田纂輯，編纂時間在光緒二十一年夏季，此即岑毓英傳稿的初輯本，茲引咸豐年間的事蹟，並標註史料出處，以明瞭其彙輯傳稿的經過：

「岑毓英，廣西西林人（事略緣由清册）。咸豐初年，由附生在本籍辦團出力保奏，以縣丞歸部選用（出身單）。六年，帶勇入雲南投効迤西總兵福陞軍營助剿（行狀）。七年，會同都司何有保攻克趙州屬紅巖賊巢（行狀）。八年，奉旨賞戴藍翎（事蹟册、出身單）。九年，克復宜良縣城，署宜良縣事，奉上諭候選縣丞，岑毓英著留雲南，以知縣用，並賞加知州銜（行狀、出身單），旋丁憂，總督張亮基奏，岑毓英現在丁憂，係帶練攻剿巡防打仗，請俟軍務靖回籍守制（出身單）。十年四月，奉硃批岑毓英准其留滇差委，不准仍留署任（出身單），旋會參將何自清克復路南州城，兼署路南州事（行狀）。巡撫徐之銘奏，署宜良縣丁憂知縣岑毓英上年收復宜良，本年攻克路南，克復之後委令兼署，實係甫經克復，人心未定，惟有仰懇俯准署宜良縣，兼署路南州岑毓英暫留署任，俟布置周妥，人心稍定，飭令回籍補行穿孝（出身單）。十月，奉上諭，署路南知州岑毓英免補本班，以同知直隸州用，並賞加運同銜，旋兼署澂江府事（事蹟册、行狀）。」

初輯本重繕後，再經覆輯，然後呈請校閱，始成定稿。岑毓英傳稿，先由協修陳田纂輯，經張星吉覆輯，然後由「李大人閱」。覆輯本往往删改頗多，例如孫詒讓傳稿初輯本先由協修汪昇遠纂輯，經劉成勳重繕，然後由楊憲增校閱改訂，改訂本增删頗多，例如初輯本謂孫詒讓「援例入爲刑部主事，詒讓淡於仕進，赴部未久，引疾歸。」改訂本眉批云「既捐官，又說淡於仕進，自相矛盾，删去數字。」改訂本將原文內「詒讓淡於仕進，赴部」字樣抹去，改書「簽分未久，引疾歸。」其餘增删潤飾之處尚多，對照初輯本與覆輯本、改訂本後，可以瞭解傳稿的纂修過程。

七　國史館列傳的進呈

清代國史館纂修各書，習稱之爲功課，纂輯列傳就是重要的功課。功課一詞，滿文讀如「banji-buha bithe」，意卽所編纂的書，間亦譯作「icihiyaha baita」，意卽所辦理的事。史館諸臣的功課例應由稽查欽奉上諭事件處稽查奏聞。乾隆三十二年四月，稽查欽奉上諭事件處將國史館進過增纂列傳數目具摺奏報，並請嗣後照例三月一次，將進呈列傳核實數目定期彙奏，奉旨允准（註二〇）。國史館所纂列傳，除了由稽查欽奉上諭事件處考核功課外，另須進呈御覽，現藏清代國史館朱絲欄寫本的列傳，就是自乾隆年間以降歷次進呈的各類稿本。例如乾隆四十一年十一月間，國史館進呈徐治都列傳。徐治都在湖廣提督任內，作戰頗著勞績，得有雲騎尉世職，因襲次已滿查銷。清高宗披閱後於是月二十日降旨加恩仍賞給世襲罔替，其妻許氏，率僕抵禦吳三桂，中礮身死，亦交部補行旌獎（註二一）。乾隆四十三年三月，國史館進呈舒蘭列傳，內有同喇什往窮河源一節，高宗諭令查取喇什原傳，軍機大臣遵旨向國史館查取，因喇什世職尚未查明，未經編纂列傳。三月十一日，軍機大臣將國史館辦出的初稿，及所鈔實錄內喇什與舒蘭窮覶河源一節，連同舒蘭原傳一併呈覽。清高宗披閱喇什傳稿後指出喇什於烏梁海事件，有心隱匿，但傳稿內未經詳載，軍機大臣遵旨交查國史館。三月十七日，國史館送到議處喇什紅本一件，軍機大臣即將紅本及喇什列傳一併進呈御覽。

乾隆四十六年十月，清高宗飭阿爾泰所屬旗分。軍機大臣遵旨交查國史館。十月十三日，軍機大臣將國史館送到阿爾泰的事實清册，連同尚未完成的傳稿進呈御覽。十月二十日，軍機大臣遵旨向國史館查取莫洛、吳三桂、耿精忠、尚可喜、王輔臣、姜瓖、金聲桓、耿仲明、尚之信等列傳進呈御覽。清高宗披閱後指出莫洛傳內「圍守保寧」的「圍」字，應改爲「固」字。軍機大臣遵旨交查國史館，據國史館覆稱「恭查實錄康熙十三年正月，四川全省叛附吳逆。六月，莫洛疏言逆賊固守保寧。七月，疏言大兵在保寧與賊相持，是保寧久爲賊踞，至十九年正月，始行收復此處奉諭莫洛或仍據壕塹圍守保寧，或因糧運艱難，暫還廣元在十三年七月，謹擬照實錄原文增入據壕塹三字，或將圍守二字改作攻圍，恭候欽定等語。」十月二十三日，軍機大臣即繕寫奏片具奏（註二二）。耿精忠列傳內有耿精忠罪狀較尚之信尤爲重大等語，清高宗飭查其出處。據清聖祖實錄康熙二十一年正月十九日載議政王大臣會議三藩罪狀，大學士明珠奏稱「耿精忠之罪，較尚之信尤爲重大，尚之信不過縱酒行兇，口出妄言，耿精忠負恩謀反，且與安親王書內多有狂悖之語，甚爲可惡。」國史館進呈的耿精忠傳內所載議政王等覆核耿精忠罪狀較尚之信尤爲重大，且與安親王書，語多狂悖一條，即照實錄原文敘入。惟據國史館覆稱，耿精忠原書，館中檢查積年紅本，並無此件。現藏清史貳臣傳甲編含李永芳等二十三人，原稿內附有素簽一紙，書明「二臣傳甲編二十三本」，與現藏數量相符。乾隆四十三年九月，國史館進呈李永芳列傳。清高宗披閱後發下軍機處，諭令軍機大臣將傳內東州、瑪根丹二處於盛京輿圖內粘簽呈覽。九月初三日，軍機大臣粘貼黃簽時，見圖內是「瑪哈丹」字樣，而傳內誤作瑪根丹。因此，軍機大臣行文國史館將「根」字改正爲「哈」字（註二三）。現藏李永芳列傳已遵旨改書「東州、瑪哈丹」，易言之，現藏清史貳臣傳甲編是乾隆四十三年九月以後的改訂本。中華書局出版「清史列傳」李永芳傳仍作瑪根單（註二四），並未改正，而且書內載「斬葉赫貝勒布齊」，但查國史館朱絲欄寫本原稿作布齋，此齊字爲齋字的訛書。

乾隆四十六年十一月，國史館進呈宗室王公表傳及穆占本傳，其中簡親王拉布傳內謂拉布生有神力云云。十一月二十六日，清高宗以其語不經，令軍機大臣交國史館查明拉布傳是何年編纂？此外若有類似語句及敍次草率者，亦令查照實錄及紅本，另行改纂。十二月間，國史館進呈安親王岳樂表傳及賴塔、傳宏烈、莽依圖、尙之信、彰泰、金光祖等本傳。清高宗披閱各傳，諭令軍機大臣將岳樂任宗人府時故入貝勒諾尼罪降爲多羅郡王之處，交查宗人府、國史館。賴塔之孫博爾屯承襲一等公，緣事革退，另支承襲緣由，亦交查國史館。十二月十四日，國史館將康熙三十九年十二月清字本及略節各一件，移送軍機處。至於原任廣西巡撫傅宏烈是江西進賢人，國史館遵旨覆查其有無子孫出仕之處，但吏部已無從檢查，軍機大臣卽行文江西原籍詳查。

乾隆四十九年閏三月，暫管稽查欽奉上諭事件處大學士阿桂等稽查國史館功課，自是年正月至三月計三個月內，國史館進過漢字列傳四本，合計二十八篇。同年九月，軍機大臣遵旨交國史館查取超勇親王策稜原傳。據國史館覆稱，策稜列傳尚未編定，僅有草本、事蹟。是月十八日，軍機大臣將國史館送到策稜列傳草本粘簽呈覽。是年十一月，清高宗飭查多羅安郡王封爵停襲緣由，軍機大臣遵旨向國史館查取饒餘敏郡王阿巴泰列傳進呈御覽。是年十二月，軍機大臣遵旨交查雍正年間宣示阿靈阿、揆敍罪狀鐫刻碑石一案，據國史館查明覆稱雍正二年十月，欽奉諭旨將阿靈阿、揆敍墓上碑文磨去，另於阿靈阿碑上鐫刻「不臣不弟暴悍貪庸阿靈阿之墓」，於揆敍碑上鐫刻「不忠不孝柔奸陰險揆敍之墓」，國史館並將原奉諭旨鈔錄進呈。

鰲拜列傳是在乾隆五十年十月二十七日進呈的，佟國綱、佟國維列傳是在同年十一月十七日進呈的。五十一年閏七月，查取楊名時列傳。十二月，年羹堯、李維鈞列傳，經由軍機大臣進呈。乾隆五十二年正月十一日，軍機大臣遵旨詳查雍正元年間侍郎常壽辦理青海羅卜藏丹津一案，查出署理定西將軍印務策旺諾爾布族兄諾顏哈什漢寄給策旺諾爾布的密信，經高其倬譯漢具奏。又查得羅卜藏丹津之母呈寄常壽書信及年羹堯咨覆羅卜藏丹津之母書信二件，常壽原奏一件，連同高其倬列傳稿本一併呈覽。其中諾顏哈什漢密信，由軍機大臣於硃批諭旨內鈔錄高其倬原摺一件呈覽（註二五）。乾隆五十二年二月，軍機大臣遵旨交查國史館蔡珽曾否立傳。是月十三日，據國史館覆稱蔡珽尚未立傳，「清史列傳」刊載蔡珽列傳，其編纂時間應在乾隆五十二年二月以後。同年二月間，清高宗發下達福列傳，傳中未將鰲拜停襲公爵諭旨載入。是月十五日，軍機大臣查明乾隆四十五年原奉諭旨，已全載鰲拜本傳內，達福是鰲拜之孫，因此，傳內未將停襲公爵諭旨載入，而擬於達福傳內添敍聲明，並夾簽進呈，欲俟御覽發下後遵旨改正。是月，軍機大臣又奉旨將郭琇參劾明珠、余國柱等各案有無載入郭琇列傳，其列傳曾否進呈等處交查國史館。是月十九日，據國史館覆稱郭琇列傳曾於乾隆三十七年十月進呈，其參劾明珠等各事，俱載入傳內，軍機大臣即將原傳進呈御覽。同年十一月初三日，軍機大臣將延信列傳連同延信定罪原案紅本等一併呈覽。乾隆五十三年六月十四日，清高宗將國史館進呈列傳三本發下軍機處，其中塔爾瑪善傳奉旨塔爾應作塔勒，巴圖濟爾噶爾傳奉旨噶爾應作噶勒，冶大雄傳第三頁阿哥原簽板心未塡寫人名，應補行塡寫，並奉旨嗣後板心改寫板邊，軍機大臣和珅等即以書啓寄交國史館，並知會阿哥們（註二六）。乾隆五十八年六月，國史館進呈巴圖濟爾噶勒列傳，清高宗詳加披閱，傳內載乾隆二十年授散秩大臣，二十一年，授頭等侍衞，敍次牽混，而令國史館查明改正，其原辦纂修官交部嚴加議處，總裁未經看出，亦交部察議。國史館隨後於傳內增入「巴圖濟爾噶勒於二十年授散秩大臣後，即於八月內獲罪拏問，二十一年，復授三等侍衞，旋擢頭等侍衞」等語，國史館進呈原傳敍次到置，經清高宗指出後，始查取巴圖濟爾噶勒本人事蹟，補行增入。

乾隆五十四年六月初，清高宗披閱劉師恕列傳，內載直隸學政按試州縣供應舊規，日折銀五十五兩等語，軍機大臣遵旨交查國史館。據國史館查送雍正年間硃批諭旨，內載「直隸總督宜兆熊、協理總督劉師恕奏稱學臣按試各府，凡修理柵廠，備辦什物，並日用水菜等項，例皆州縣供給，惟李維鈞爲直隸府道時，派令屬員每日折銀五十五兩，輪流承直，致有虧空科歛等弊，請永行革除，于每年養廉銀二千兩之外，再添給銀二千兩。嗣因學政孫嘉淦向司庫支銀五百兩用完，該督等並無接濟，復奏稱學臣按臨考試，需用甚多，請令督臣速爲撥解，以濟目前之急，奉硃批可仍循舊例而行，欽此。」軍機大臣據國史館覆文即將硃批諭旨粘簽進呈。至於傳內所載供應銀兩於何時裁革之處，軍機大臣和珅等亦交各處詳查。六月初九日，和珅等札詢劉峩，其原札云「啓者前因國史館將劉師恕列傳進呈，內有直隸學臣按試州縣供應舊規，日折銀五十五兩之語。此項銀兩係起自何年？並係何學政任內之事？後于何年裁革？所有直隸學政養廉，每年四千兩之數，係于何年酌定？奉旨交劉峩檢查原案，封寄行在備悉等因，欽此。茲將奏片一件附寄大人，即將舊案詳悉查明，摘敘略節，封寄軍機處，以備登覆，不必專摺具奏也。特此佈達，並候近祺，不一。和等同具，六月初九日。」旋據劉峩覆稱，順天學政每年向有養廉銀二千兩，雍正五年九月間奉旨學臣既不受地方供給，養廉銀二千兩不敷需用，可給與養廉銀四千兩，嗣後學政養廉均在藩庫撥解，並無州縣折銀等事。惟此項銀兩起自何年？業已無卷可查。在畿輔通志內載李維鈞於康熙五十三年任總理錢穀守道，因此，劉峩指出直隸各州縣日折供應銀五十五兩，是李維鈞在守道任內之事，至雍正五年業經革除，並於同年奉旨增給養廉銀四千兩，此後遂成爲定制，乾隆五十四年六月二十五日，軍機大臣將劉峩覆文繕片具奏。乾隆五十五年二月初七日，軍機大臣遵旨將李建泰傳內「被執脫回」之處，交國史館據明史改爲「降賊」字樣，並粘貼黃簽呈覽。乾隆五十六年三月，清高宗閱覽世祖實錄，內載直隸總督張元錫被學士麻勒吉呵辱自刎一事。清高宗隨取國史館所纂張元錫列傳，詳加披閱，內載張元錫於任直隸總督時，適值孫可望降附，麻勒吉齎勅往迎，至順德府，張元錫出迓，麻勒吉責其失儀，加以呵辱，張元錫既歸，遂引佩刀自刺云云。清高宗指出張元錫服官清朝，並無劣蹟，雖爲明季庶吉士，但未經授職，非但不應列入貳臣傳乙編，事實上亦不應列入貳臣傳內，國史館諸臣不加詳審，竟與馮銓等人一例編輯。因此，飭令國史館將從前所辦諸臣列傳，查明改正（註二七）。王師之子王亶望在甘肅布政使任內，因揑災冒賑侵帑殃民，被寘典刑，其子概行發往新疆，充當苦差。乾隆五十九年六月，國史館進呈王師列傳，清高宗詳加披閱，王師在巡撫任內，實心任事，而飭令將其子嗣釋回鄉里，以延其宗祀。于敏中以大學士在軍機處南書房行走，因曾向內監交接，復與外任官吏夤緣舞弊。乾隆六十年五月，國史館進呈于敏中列傳，仍保留世職，清高宗卽降旨將其子嗣承襲輕車都尉世職，卽行撤革。

嘉慶年間，國史館進呈列傳，經仁宗披閱後，多交軍機大臣閱看。例如嘉慶十九年五月，軍機大臣托津、盧蔭溥遵旨將發下和珅列傳詳細閱看，據軍機大臣指出和珅列傳敍次履歷，祇有四頁，於和珅一生事蹟，全未查載，其逮問以後所奉諭旨，却敍述甚詳，所載功罪，不明事實，不足以信今傳後。五月二十七日，軍機大臣撰擬明發上諭，略謂「諭內閣，國史館纂辦臣工列傳，向不按年分先後以次進呈，其辦理章程，本不畫一。前日該館進呈和珅列傳，和珅逮問伏法，迄今已越十五年，始將列傳纂進，已太覺遲緩。迨詳加披閱，其自乾隆三十四年襲官，以至嘉慶四年褫職，三十年間，但將官階履歷，挨次編輯，篇幅寥寥。至伊一生事實，全未查載，惟將逮問以後各諭旨詳加敍述，是何居心，不可問矣。和珅在乾隆年間，由侍衞洊擢大學士，晉封公爵，精明敏捷，原有微勞足錄，是以皇考高宗純皇帝加以厚恩，奈伊貪鄙性成，怙勢營私，狂妄專擅，積有罪愆。朕親政時，是以加以重罰，似此敍載簡略，現距懲辦和珅之時，年分未遠，其罪案昭然在人耳目。若傳至數百年後，但據本傳所載，考厥生平，則功罪不明，何以辨賢奸而昭賞罰。國史爲信今傳後之書，事關彰癉，不可不明白宣示。」（註二八）國史館正總裁董誥交部議處，改派曹振鏞、托津、潘世恩充正總裁，盧蔭溥充副總裁，和珅列傳另行詳查改纂進呈。纂修官顧蒓原纂和珅列傳稿本內載有乾隆年間諭旨四條，其後因出差而將稿本交編修席煜等續辦。據席煜稱葛方晉先已節去三條，席煜復節去一條，以致進呈本內四條諭旨全行删除。六月初一日，席煜奉旨革職，次日，押解回籍，交江蘇巡撫張師誠嚴行管束，令其閉門思過，不准外出，葛方晉業已身故免議。是月，國史館進呈薩克丹布清字列傳，並照例將前已進呈的漢字本一併附進。六月十四日，清仁宗發下薩克丹布列傳，交軍機大臣托津等閱看，據托津等指出傳內既載其子格布舍已陞副都統，即不應將頭等侍衞在大門上行走敍入，並交查國史館改正。

清朝末年所進呈的列傳，主要是國史循吏列傳，道光年間進呈四卷，本傳計二十人，附一人。光緒五年，進呈二卷，本傳六人，附三人，旋又進呈四卷，本傳十人，附一人。至光緒末年，續辦大臣畫一傳，本傳增至二百十四人，附十人，僅有定稿，未寫清本（註二九）。

八　結　論

史料與史學，關係密切，沒有史料，就沒有史學。史料有原始史料與轉手史料的分別，檔案或文書是屬於原始史料。有清一代，檔案浩瀚，近數十年來，由於檔案的陸續發現與積極整理，使清代史的研究，步入新的途徑。其間雖因戰亂而輾轉遷徙，以致間有散佚，惟其接運來台者，爲數仍極可觀。國立故宮博物院現藏清代檔案，就其來源而言，約可分爲四大部分：一爲宮中檔案，即京外臣工定期繳回宮中，而置放於懋勤殿等處的御批奏摺及其附件；一爲軍機處檔案，包括月摺包與檔冊二大項，前者主要爲奏摺錄副存查的抄件、咨文、知會、清單等，後者則爲軍機處承宣諭旨及經辦文移而分類繕錄的檔冊；一爲內閣檔案，包括各科史書、絲綸簿、外紀簿、上諭簿、奏事檔、舊滿洲檔、起居注册及歷朝實錄等；一爲史館檔案，內含清代國史館及民國清史館紀、志、表、傳的稿本及纂修正史的各種資料。從清代各類文書的因革損益，可以瞭解清代的政治得失，從清代國史館纂修史書，則可瞭解清代史學的發展，其中國史館所纂列傳體例的嚴格，傳稿的屢經重修或覆輯，以及傳記資料的豐富等等，清史稿實望塵莫及。紀傳體的正史，是以列傳爲重心，正史中的人物，可以說是人群中的傑出者，一方面可以反映當時的社會現象，一方面也是承先啓後的津梁，把過去帶到現在。因此，列傳的數量，在正史中佔了很大部分，斷無列傳不佳，而堪稱爲正史者（註三〇），而且列傳的纂修，例應詳載歷史人物的生平事蹟，始足以信今而傳後。清史稿列傳，或襲國史本傳舊文，或採自私家撰述，間有佳傳，惟各傳體例紊亂，敍次無法，同名異譯，表傳不合，內容簡陋，率爾操觚。考證史事，最重要者，應在其事蹟年月。清代國史館諸傳內，對於臣工升遷降補的年月，大都詳載不遺，而清史稿列傳內，反大半删去，事蹟不詳，使後來讀史者，每不能因事考世，得其會通（註三二）。比較清史稿列傳與國史館傳稿，其詳略即可概見。例如國史館傳包內纂修官章梫所纂馮子材傳稿初輯本載「馮子材，廣東欽州直隸州人。初聚徒於博白縣，嗣歸順，由歸善勇目，從提督向榮征賊。」清史稿列傳載稱「馮子材，字翠亭，廣東欽州人，初從向榮討粵寇，補千總，平博白。」對馮子材歸順一事，隻字未提。初輯本對中法之役，敘述甚詳，清史稿記載簡略。法軍戰術，據初輯本云「以眞法兵居前，黑兵次之，越南散匪又次之。」清史稿謂「法軍攻長牆亟，次黑兵，次敎匪。」將「散匪」誤作「敎匪」，其餘同敘一事，詳略不同，或錯誤出入之處，不勝枚舉。初輯本附錄註語云「此傳據本館各檔外，兼採馮子材少保別傳，克復諒山紀略，年月日逐一校核，其誤處已爲訂正，乞鑒之。又列傳通例，載年月，不載日，此次關外與法人戰，軍事僅月餘，劇戰數日，爲我國特色，故特書日，章梫自注。」又如清史稿耆英傳內道光四年的事蹟但云「送宗室閒散移駐雙城堡」國史館耆英傳包內傳稿覆輯本則載「四年三月，新定雙城堡京旗移屯章程，上念其生計維艱，命耆英前往履勘。尋奏，查雙城堡中左右三屯，有奉天旗下留養二百餘戶，如令此項閑丁幫種地畝，可省京旗僱覓人夫之費，從之。七月，兼正黃旗護軍統領，轉兵部左侍郎，充國史館清文總校。」由此可知國史館纂輯列傳，資料豐富，考證精詳，敘次有法，於事蹟始末，記述較詳，一方面可用國史館傳稿校正清史稿的錯誤，一方面可以補充清史稿的疏漏，讀清史稿列傳，必須查閱國史館傳稿。翻閱傳包內的各種珍貴傳記資料及記載翔實可信的傳稿時，使後人對清代列傳人物的生平事功，可以增進更多的認識，並給予新的評價，對清代歷史的研究，尤有裨益。

註釋

〔註　一〕司馬遷撰「史記」，卷六一，伯夷列傳，頁二一二一，索隱。明倫出版社，民國六十一年一月。

〔註　二〕王爾敏撰「當代史家應從事編纂民國碑傳集」，中央日報，文史週刊，第六十四期，民國六十八年七月二十四日。

〔註　三〕傳振倫撰「清史稿評論」，「史學年報」，第一卷，第三期。見許師愼輯「有關清史稿編印經過及各方意見彙編，下册，頁五四九，民國六十八年四月，中華民國史料研究中心。

〔註　四〕「大清太宗文皇帝實錄」，初纂本，卷二二，頁二八，天聰十年三月初六日，上諭。

〔註　五〕「欽定大清會典事例」，卷一〇四九，頁二。據光緒二十五年刻本景印，台灣中文書局。

〔註　六〕「大清高宗純皇帝實錄」，卷一五，頁六，乾隆元年三月癸丑，據徐元夢奏。

〔註　七〕「欽定國史大臣列傳」，續編。卷一，同治九年四月初九日，據倭仁等奏。

〔註　八〕方本上諭檔，乾隆四十六年冬季檔，十月初四日，內閣奉上諭。

〔註　九〕方本上諭檔，乾隆四十五年夏季檔，四月十六日，軍機大臣奏片。

〔註一〇〕「大清高宗純皇帝實錄」，卷一四一二，頁一八，乾隆五十七年九月癸卯，上諭。

〔註一一〕「欽定大清會典事例」，卷一〇五〇，頁一。

〔註一二〕「大清高宗純皇帝實錄」，卷一四一六，頁一一，乾隆五十七年十一月甲辰，上諭。

〔註一三〕鑄版「清史稿」，列傳十二，頁九八二，費英東列傳。

〔註一四〕「清史列傳」，卷一，頁二，中華書局，民國五十三年八月。

〔註一五〕「大清高宗純皇帝實錄」，卷一〇二二，頁四，乾隆四十一年十二月庚子，上諭。

〔註一六〕同前書，卷一三四四，頁一六，乾隆五十四年十二月庚申，上諭。

〔註一七〕梁章鉅纂輯「樞垣記略」，卷一三，頁一二，文海出版社。

〔註一八〕拙撰「清代上諭檔的史料價值」，故宮季刊，第十二卷，第三期，頁七〇。

〔註一九〕拙撰「國立故宮博物院典藏清代檔案述略」，故宮季刊，第六卷，第四期，頁六三。

〔註二〇〕軍機處月摺包，第二七七六箱，一五一包，三六一九七號，乾隆四十九年閏三月初十日，阿桂奏摺。

〔註二一〕方本上諭檔，乾隆四十一年冬季檔，十一月二十日，內閣奉旨。

〔註二二〕「清史列傳」，大臣畫一傳檔，卷六，頁四二，仍作「圖守保寧」字樣。

〔註二三〕方本上諭檔，乾隆四十三年秋季檔，九月初三日，軍機大臣奏片。

〔註二四〕「清史列傳」，貳臣傳甲編，卷七八，李永芳傳，頁十一。

〔註二五〕「宮中檔雍正朝奏摺」，第一輯，頁一六四，雍正元年四月初五日，高其倬奏摺。

〔註二六〕方本上諭檔，乾隆五十三年夏季檔，六月十七日，啓文。

〔註二七〕「大清高宗純皇帝實錄」，卷一三七五，頁一四，乾隆五十六年三月甲午，上諭。

〔註二八〕方本上諭檔，嘉慶十九年夏季檔，五月二十七日，內閣奉上諭；「大清仁宗睿皇帝實錄」，卷二九一，頁二二。

〔註二九〕朱師轍撰「清史述聞」，卷四，頁六九，樂天出版社，民國六十年十月。

〔註三〇〕金毓黻撰「讀清史稿劄記」，「國史館館刊」，第一卷，第三號。見許師慎輯「有關清史稿編印經過及各方意見彙編」，下冊，頁六八五，中華民國史料研究中心，民國六十八年四月。

〔註三一〕李宗侗撰「查禁清史稿與修清代通鑑長編」，見「有關清史稿編印經過及各方意見彙編」，下冊，頁八一四。

官　大人印　輯　年　月　日領

月　日交

校對官　老爺印　校輯　年　月　日領

月　日交

大人

大人

纂修錢駿祥霞錄

張之洞列傳

張之洞列傳

張之洞直隸南皮人同治二年一甲三名

進士授職編修五年大考二等六年由浙充

江鄉試旋副考官

命提督湖北學政十一年以襄辦

大婚典禮

賞加侍讀銜十二年達充四川鄉試旋副考官

授學政四川地處西陬寇氛甫靖士未知學村肯

張之洞列傳

張之洞、直隸南皮人、同治二年、一甲三名
進士、授職編修、五年、大考二等、六年、主浙
江鄉試、旋
命提督湖北學政、十一年、以襄辦
大婚典禮、
賞加侍讀銜、十二年、主四川鄉試、旋
授學四川地處西陬、寇氛甫靖士未知學、村耆鶩

張之洞

同上方本

覆試一等　二年四月十六日

探花　廿四日

一甲業經授職　五月初九日

談「尼山薩蠻傳」的滿文手稿本

薩蠻，又作薩滿，或作珊蠻，滿洲語讀作Saman 。徐珂編著「清稗類鈔」，以薩蠻教旨與佛氏相似，而疑薩蠻一詞，即「沙門」的音轉（註一）。但所謂薩蠻，其原意爲巫人，或稱祝神人。滿洲語Samangga niyalma ，意卽跳神的巫人。薩蠻被當作一種宗教的原因，主要是歐美學者所使用的學名，認爲薩蠻信仰具備一種特殊的宗教型態。誠然薩蠻信仰就是人類對天與自然及靈魂崇拜中相當古老的一種宗教型態。胡耐安撰「邊疆宗教概述」一文指出薩蠻是屬於原始教型，就是屬於巫的範疇，但非出自西南亞。薩蠻原來是東北亞以迄西亞草原族羣的共同信仰，以西伯利亞爲傳播中心區，而向四周伸展（註二）。伊利亞第（Dr. Mircea Eliade ）所撰「薩蠻教」文中則認爲薩蠻教雖在北極地方及北亞細亞地區的宗教中表現最爲完整，不過其範圍實不限於這些地區。其他地區如印尼、北美洲印第安人及印度南部孟達人，都有薩蠻教的流傳。此外，自古代印度、中國、波斯與塞族（Scythians ）之中，也可看到薩蠻教的蹤跡（註三）。中外史籍內述及薩蠻信仰的也不少，「多桑蒙古史」曾云：

「珊蠻者，其幼稚宗教之教師也，兼幻人、解夢人、卜人、星者、醫師於一身。此輩自以各有有親狎之神靈，告彼以過去、現在、未來之秘密。擊鼓誦咒，逐漸激昂，以至迷罔。及至神靈附身也，則舞躍瞑眩，妄言吉凶，人生大事，皆詢此輩巫師，信之甚切。設其預言不實，則謂有使其術無效之原因，人亦信之。」（註四）

古代蒙古人相信人的死亡，是由此世渡至彼世；其生活與此世相同。人類災禍，是因惡鬼爲厲所致，所以請求薩蠻禳除。相傳成吉思汗曾請薩蠻，與上天往來。窩闊臺汗也曾因得病而請薩蠻占卜，薩蠻告以其疾是因金國山川之神爲祟所致，窩闊臺汗許以人民財寶等物禳解。但山川神靈不接受，其病更加嚴重。

蒙古人信仰薩蠻，由來固早，即維吾兒人信奉薩蠻，也是淵源很早。「多桑蒙古史」附錄「世界侵略者傳」及「史集」二書所載維吾兒人的信仰云：

「當時畏吾兒人信仰名曰珊蠻之術士，與今之蒙古人同。珊蠻自言術能役鬼，鬼能以外事來告。我曾以此事質之多人，諸人皆言聞有鬼由天窗入帳幕中，與此輩珊蠻共話之事。有時且憑於此輩術士之身，蒙古人愚闇，頗信珊蠻之語。即在現時，成吉思汗系諸王多信仰其人，凡有大事，非經其珊蠻與星者意見一致者不行，此輩術士兼治疾病。」（註五）

自從蒙古人普遍皈依佛教，維吾兒人改宗伊斯蘭教後，呼倫貝爾、貝加爾湖及東北亞通古斯族聚居的地區，仍舊深染其習。亞古德人、索倫人、達呼爾人、鄂倫春人、布里雅特人、布特哈人、塔塔爾人、都干人、奇雅喀喇的二腰子及黑斤人即赫哲人等迷信薩蠻尤甚（註六）。其中塔塔爾人分佈於阿爾泰山，他們所信奉的薩蠻又有白薩蠻與黑薩蠻的分別。白薩蠻與天神往來，黑薩蠻則與鬼魂連繫（註七）。清代宮庭中有一種「薩蠻太太」，宮中發生邪祟的事故，就由「薩蠻太太」降神作法祓除。此外，年時節令也由「薩蠻太太」降神作法（註八）。

薩蠻立有三界：上界爲諸神所居，中界爲人類所居，下界爲惡魔所居。上界又分七層或九重，其主神爲玉皇大帝，統治無量數恒河沙世界，具有無量數恒河沙智慧，不現形體，不著跡象，居於上界最高處，以下諸天，則由百神以次分居。下界惡魔頭目爲閻羅王，主罰罪人，威覆人世。玉皇大帝恐閻羅王過度肆虐於人類，常遣諸神下凡省察，以防其惡行。薩蠻居於中界而通於上下界，能替世人向天神祈禱，以求庇護，又可與閻羅王相通，以收回世人的魂靈。迷信薩蠻的人，相信人的疾病，是因人在夢寐之際，魂靈飛越，脫離軀體，若被鬼魔捕去，久而不放，則其人必死。薩蠻祖先在下界，曾以子孫充當閻羅王的侍者，所以薩蠻凡有建白，都可以與閻羅王直接相通。薩蠻擁有一種「世界之樹」，此樹是天、地及冥府交通的樞軸，薩蠻魂靈出竅後就是藉這種「世界之樹」而上昇天界，或進入冥府。

薩蠻治病，或占卜求神時，必需穿着特異的服裝，然後作法。「龍沙紀略」記載薩蠻降神作法的情景云：

「降神之巫曰薩滿，帽如兜鍪，緣檐垂五色繒條，長蔽面。繒外懸二小鏡，如兩目狀，著絳布裙。鼓聲闐然，應節而舞。其法之最異者，能舞鳥於室，飛鏡驅祟。又能以鏡治疾，遍體摩之，遇病則陷肉不可拔，一振蕩之，骨節皆鳴，而病去矣。」（註九）

薩蠻作法治病情形，「黑龍江外紀」所述亦詳，其文略謂：

「達呼爾病，必曰祖宗見怪，召薩瑪跳神禳之。薩瑪擊太平鼓作歌，病者親族和之，詞不甚了了，尾聲似曰耶格耶。無分晝夜，徹四鄰。薩瑪曰祖宗要馬，則殺馬以祭，要牛則椎牛以祭。至於驪黃牝牡，一唯其命，往往有殺無算而病人死家亦敗者。然續有人病，無牛馬，猶殺山羊以祭，薩瑪之令終不敢違。伊徹滿洲病，亦請薩瑪跳神，而請札林一人爲之相。札林，唱神歌者也，祭以羊腥用鯉。薩瑪降神亦擊鼓。神來則薩瑪無本色，如老虎神來猙獰，媽媽神來噢咻，姑娘神來靦覥，各因所憑而肖之。然後札林跽陳祈神救命意，薩瑪則啜羊血嚼鯉，執刀鎗白梃，卽病者腹上指畫，而默誦之，病可小愈，然不能必其不死。小兒病，其母黎明以杓擊門大呼兒名曰博德珠。如是七言，數日病輒愈，謂之叫魂，處處有之。博德珠，家來之謂。」（註一〇）

薩瑪卽 Saman 的同音異譯。伊徹滿洲，滿洲語讀作 ice manju，意卽新滿洲。博德珠則是滿洲語 boo de jio 的音譯，其原意是「回家來吧！」札林，滿洲語讀作 jari，意卽唱神歌的人，其動詞原形讀作 jarimbi。凌純聲教授所撰「松花江下游的赫哲族」文內「那翁巴爾君薩滿」一節所述額卡哈薩蠻治癒葛門村克木土罕疾病的經過非常詳細，原文略謂：

「從前混同江北岸有一個地方，名叫葛門嘎深，那裡人民約二千餘口，屯中有一個薩滿，名叫克木土罕；在他十二歲的時候，身患重症，幾瀕危亡。其母孀居，一夜，見一個白髮蒼蒼的馬法對她說道：『古爾佳氏，你祇有一子，病勢甚重，可速請薩滿牙莫使療治其病。』克木土罕的母親將要開口詢問，馬法已不見了；急行出門觀望星斗，知是正在夜半。至黎明起身，用過早餐後，她就請鄰近媽媽到她家中替她兒子作伴，自己穿戴齊整，向東去請薩滿。這薩滿名叫額卡哈，克木土罕的母親來到門口，額卡哈薩滿令人迎入，請她上煖炕坐談。克木土罕的母親謙讓了一回，上炕落坐。寒喧畢，從懷中取出酒瓶一個，瓶內滿盛白酒；她又向薩滿之妻討索酒壺燙酒，先向那薩滿跪拜，斟酒獻給薩滿，然後才說其子身患重症，特此前來請薩滿前去療治，言時淚流滿面。那薩滿接過酒來，一飲而盡；連斟三杯，完全飲乾後，向克木土罕的母親說重：『安邦什特來邀請，小弟不敢推却，即刻前去看病便了。』遂令家人收拾神鼓、神鞭、腰鈴和有鐵角的神帽等物，隨克木土罕之母一同前往。行至克木土罕之家，落坐休憩吸罷黃煙，即行看病。他見克木土罕病勢沉重，不免慨嘆。克木土罕家中本無僕婢，無人服事，即請母舅前來幫忙，替薩滿升香燃燒僧其勒；又在西炕上放一張炕桌，桌上擺黃米飯二碗，祭祀薩滿神。額卡哈薩滿手拿神鼓，穿戴神帽神衣及腰鈴等物，跳舞酬神。額卡哈薩滿跳神治病，向前一闖，又向後一退，神已附體；他向後傾倒時，早有他的家人在他身後照料，不致倒在地上。克木土罕的母親和舅舅二人計議後，立在額卡哈薩滿左右兩邊，向他耳邊祝禱道：『薩滿爺爺聽眞，你快快將我小兒之病治愈。病除之日，祭供牛、羊、猪、鷄等畜每樣兩隻，以報治療之恩。』二人禱告數次以後，方見薩滿躍身而起，又舞了數次，乃對衆人言道：『這個初初阿哥的病症非是眞病，乃是他曾祖祖父之薩滿神作祟。我的愛米神再三向他們懇切哀禱，後來他們方有允意，但非令這個初初承領薩蠻神不可，其他治術無濟於事。』言畢又行跳舞，且舞且歌，其歌曰：『也歌牙歌——也歌——牙歌——火古——牙歌——也哥——也哥——牙也也哥—

也。』那時屋內衆人也隨聲而歌，歌畢復行跳舞。太陽將落山時，薩滿口念送神咒，薩滿神便離了額卡哈薩滿之身，旋回長白山山洞去了。額卡哈將神器物件卸去以後，克木土罕的母親早已將酒菜齊上，請他用酒，母舅也陪坐勸飲。此時克木土罕的病立時大愈，想要米湯喝，他母親這時候甚爲安慰」。（註二一）

克木土罕病癒後，他的母親仍懇求額卡哈薩蠻繼續替克木土罕治療，跳舞誦歌，藉神靈附體，引導克木土罕去捉拿愛米神像，領了薩蠻神。五日以後，克木土罕也成了一個新薩蠻，從此他的身體更加強壯，他所領的薩蠻神非常靈驗，屯中患病的人請他調治時，無不手到病除，富戶人家，爭送牛羊豬鷄，家道日富。當克木土罕十九歲時，一日偶至葛門村以西四十里的蘭尹村閑遊時，村中適有一人因妖魔作祟而生病。病人家屬懇求救治，但克木土罕所用的神具都在家中，他便默誦神歌，所有神具都由空中落在院中。克木土罕戴齊整，擺設刀山陣及火山陣，與鬼比武，當病人上了刀山，將上火山陣時，克木土罕用布拉符將病人劈爲兩段。原來他劈死的是一隻黑熊精假扮了病人的模樣，眞正的病人却在荒野裡，衆人將病人抬回家後便日漸痊癒，克木土罕薩蠻的聲名逐漸傳播更遠。

薩蠻教是一種複合的宗教現象，包括對魂靈及祖先的崇拜對玉皇大帝的信仰，以及對諸天與冥府的宇宙觀。所以薩蠻們都是醫治病人及護送魂靈的術士，薩蠻進入昏迷狀態達到神魂出竅的程度後，或沉入陰間，或上昇天界，而將病人的魂靈帶回原體，附己還魂。最後薩蠻精疲力盡，彷彿從睡夢中甦醒過來，而達成了療治病人的任務。薩蠻神魂出竅的法術，是薩蠻教的特質，也是薩蠻教與其他法術宗教相異的地方。薩蠻教的特有表現，可以從通古斯族所流傳的故事裡找到最具體的例子，其過程也最完整。其中「尼山薩蠻傳」（nišan saman i bithe）就是以北亞部族的薩蠻觀念爲基礎的一部文學作品。原書是以滿文書寫的手稿本，不僅是研究滿洲方言的珍貴資料，也是探討北亞民俗的罕見作品。韓國明知大學成百仁教授在該手稿譯註序文中對「尼山薩蠻傳」手稿本發現的經過，敍述很詳細。清德宗光緒三十四年（一九〇八），俄羅斯滿洲文學教授格勒本茲可夫（A.V.Grebenščikov），從史密德（P.P.Šmidt）處獲悉有「尼山薩蠻傳」手稿後，即前往滿洲尋覓，在數年內先後得到了三種手稿本。光緒三十四年，他所獲得的第一種手稿本，是得自齊齊哈爾東北默色爾（Meiser）村滿洲人能德山青克哩（Néndéšan Čžinkeri）處，這就是齊齊哈手稿本，計二十三葉，每葉五行，長一七公分，寬八・三公分。格勒本茲可夫將其裝裱在大型的白紙上，以便保存。齊齊哈爾手稿本的第一個特點是敍述簡單，其故事內容是從出外打圍的奴僕爲員外帶回其子死訊開始，而以尼山薩蠻向冥府蒙古爾代舅舅爲員外的兒子爭取壽限爲終結。第二個特點是滿文單語的使用方法，與一般滿文的習慣不同，有時可將動詞的現在式、過去式及副動詞的語尾，脫離動詞的語幹。宣統元年（一九〇九），格勒本茲可夫又在瑷琿附近，從滿洲人德新格（Desinge）處得到第二種手稿本。因爲在瑷琿得到的，所以又叫瑷琿手稿本，計二卷，五十葉，每葉十二行，長二四公分，寬二一・五公分。在第二卷後面附有墨筆所繪穿著完整服裝的尼山薩蠻畫像。第一卷，理論性的敍述較多，文筆流暢。故事內容是以員外的兒子在野外身故上擔爲開端。第二卷，敍述簡略，且欠流暢，民國二年（一九一三），格勒本茲可夫又獲得第三種手稿本。成百仁教授指出此手稿本原爲敎授滿文的滿洲人德克登額（Dekdengge）的手稿。德克登額在弗拉第夫斯托克（Vladivostok）就記憶所及書寫成稿後交給格勒本茲可夫。第三種手稿計九十三葉，每葉長二一・八公分，寬七公分。以墨色油布爲封面，是一種西式裝本。封面居中書明「尼山薩蠻傳一册」(nišan saman i bithe emu debtelin)，右方書明「敎習葛老爺的」（tacibukū ge looye ningge），左方以鉛筆寫上「弗拉第夫斯托克，一九一三」字樣。第三種手稿本的內容與前述二種手稿本大略相同，但其開端與結尾略有不同。民國六十三年，成百仁敎授曾將第三種手稿本譯成韓文，書名題爲「滿洲薩蠻神歌」，末附滿文原稿景印本，每百自十行至十一行不等（註一二），這是瞭解通古斯族薩蠻信仰的珍貴手稿。

民國十九年間，凌純聲敎授前往松花江、烏蘇里江下游及混同江一帶調查赫哲族的生活習慣，發現其語言文化雖涵化很大，但仍保持不少土著成分（註一三）。赫哲族的社會裏，仍普遍流傳着薩蠻的故事。凌純聲敎授所撰「松花江下游的赫哲族」文內「一新薩滿」的故事，與「尼山薩蠻傳」的內容頗爲相近。「一新薩滿」文內略謂明末清初的時候，松阿里南岸三姓東邊五六十里祿祿嘎深富戶巴爾道巴彥夫婦樂善好施，祝禱神明，請賜一子。巴爾道巴彥妻盧耶勒氏四十五歲時生下一對男孩，大兒子取名斯勒福羊古，小兒子取名斯爾胡德福羊古。兄弟自幼學習弓箭刀鎗，到了十五歲，箭法已熟，常帶家人在本屯附近打圍，因野獸漸少，兄弟兩人請求父母准許他們前往正南方百里外的赫連山去打圍，一連商量了幾天，才得到父母的允准。斯勒福羊古兄弟帶領阿哈金、巴哈金等五十名家人同去，一日，從西南方忽然來了一陣大旋風，就在斯勒福羊古兄弟二人馬前馬後旋轉兩三個圈子後仍往西南方去了，兄弟二人却同時打了一個冷戰，心中立卽覺得難過，急忙回到晚上宿營地方時，面色如土，更覺昏迷，病狀沉重，僕人們連夜砍樹做成兩個抬板，急速收拾，將小主人抬回家，走了二十多里路後，斯勒福羊古已經氣絕而死。走到東方發白時，斯爾胡德福羊古也氣絕長逝了。巴哈金急忙騎馬飛奔回家，稟知老員外，巴爾道夫婦聞訊，當時就仰面跌倒，昏迷不省人事，這就是「一新薩滿」故事的開端。至於「尼山薩蠻傳」第三手稿本內容的開始則大同小異，其文略謂在從前明朝的時候，有一個叫做羅洛的鄉村，住了一個名叫巴爾杜巴顏的員外，中年生了一子，養到十五歲時，有一天帶領奴僕們到橫欄山去打圍，途中得病死了。員外夫妻日行善事，修造寺廟濟貧助弱，五十歲時又生了一子，因爲是老生子，所以取名爲色爾古代費揚古。到了十五歲時，色爾古代費揚古懇求父母准許他出去打圍。員外告以其兄打圍身故的事，未予答應。色爾古代費揚古認爲人生在世，死生有命，身爲男子，不能一輩子斯守在家裏，堅持要去，父母不得已答應了。色爾古代費揚古帶着阿哈爾濟及巴哈爾濟等衆奴僕前往橫欄山去打圍，正在興緻昂然的狩獵時，色爾古代費揚古忽然渾身冰冷，忽然又發燒，頭也昏眩。衆人收了圍到布幕裏點火讓色爾古代費揚古烤火，因發燒出汗太多，身體不支，奴僕們砍伐山木做成轎子，將小主人抬回家，由阿哈爾濟先行趕回稟告員外，員外夫妻聞子死訊時頭頂上猶如雷鳴，當時卽跌倒昏迷。這兩個故事，是同一個來源。「一新薩滿」所述故事的背景是在明末清初，「尼山薩蠻傳」開端就指出是在明朝的時候，而且在原手稿的末尾提到尼山薩蠻將其死去的丈夫魂靈抛進酆都城，她的婆婆向御史告狀，太宗皇帝據部院奏陳後頒降諭旨，將薩蠻的神帽、腰鈴及男手鼓等作法的神具抛入井內等語。太宗皇帝，或卽指清太宗皇太極，也以明末清初爲背景。這兩個故事的開端，最大的不同是：「一新薩滿」所述員外的兒子是一對男孩，同時出外打圍，同時得到同樣的病症而死亡；「尼山薩蠻傳」所述員外的兩個兒子年齡不同，但都在十五歲時打圍身故。至於員外的姓名，一作「巴爾道巴彥」，一作「巴爾杜巴顏」。鄉村或屯子的名字，一作「祿祿」，一作「羅洛」。打圍的山名，一作「赫連山」，一作「橫攔山」。員外末子的姓名，一作「斯爾胡德福羊古」，一作「色爾古代費揚古」，福羊古與費揚古都是滿洲語 fiyanggū 的同音異譯，意即末子，或老生子。兩個奴僕的名字，一作「阿哈金、巴哈金」一作「阿哈爾濟、巴哈爾濟」。不論人名或地名，都很相近，或因方言的差異，或因譯音的不同，以致略有出入，但就故事情節而言，則是同出一源。

在一位老翁的指點下，員外前往尼西海河岸找尋薩蠻替其子作法救治。赫哲族故事裏的薩蠻名字叫做一新薩蠻，滿文手稿本的薩蠻叫做尼山薩蠻，是寡居的女薩蠻，有一位年紀很大的婆婆。「一新薩蠻」在家先已查明員外兩個兒子的緣由，據稱大兒子斯勒福羊古壽限已到，回生乏術，閻羅王（ilmun han）差遣鬼頭德那克楚前往赫連山捉拿其魂。因兄弟二人容貌相似，無法分辨，而把兄弟二人的眞魂一齊捉回陰間，將斯勒福羊古交給閻羅王，而把斯爾胡德福羊古領到自己的家中，當作親生兒子（註一四）。「尼山薩蠻傳」也敘述老翁指點員外後，好不容易找到了尼山薩蠻，懇求救活其子，薩蠻唱着神歌，使神靈附體，得知員外在二十五歲時所生的大兒子，在十五歲到橫攔山打圍時，庫穆路鬼把他的魂捉食而死了。員外五十歲時所生的色爾古代費揚古則因殺了很多的野獸，閻羅王差遣蒙古爾代納克楚捉了他的魂靈，帶到死國去，在高杆上懸掛金錢，試射錢孔時，三枝都中了，後來又對撩跤人撩拿時，也把對方撩倒了，因此，閻羅王把他當作自己的兒子慈養着（註二五）。

薩蠻降神作法時除了神帽、神衣、腰鈴、男手鼓、圍裙等神具衣飾外，另需通達神理的札林助唱神歌。「一新薩蠻」將唱神歌的人按滿文音譯作「甲立」，名字叫做那林福羊古。「尼山薩蠻傳」作納哩費揚古（mari fiyanggo）。「一新薩滿」在員外院中設立香案，敲鼓唱詞，不多時神來附體，繞着香案跳了一陣舞後躺在板床上過陰去了，由愛米神引路，經過臥德爾喀山卽望鄉臺，抵達河岸時，把神鼓抛到河中，立卽變成一隻小船，與衆神上船渡到西岸。不久遇到三年前病故的丈夫前來請求救他還陽，但他的身體久已腐爛，無法還陽，薩蠻神愛新布克春把他的丈夫擲到陰山下。「尼山薩蠻傳」的薩蠻，是從死國的歸途中遇到丈夫用高粱草燒滾了油鍋等候尼山薩蠻，薩蠻卽令大鶴神把她丈夫抓去抛到酆都城，永遠不讓他轉生爲人。「一新薩蠻」進入閻王城帶囘斯爾胡德福羊古，歸途中遇見德那克楚攔阻，但當薩蠻聲稱要向閻王稟告時，德那克楚恐閻王責以私養斯爾胡德福羊古眞魂的罪，而不再阻攔，「一新薩蠻」乘機替員外的兒子要求增添壽數，德那克楚答應替他添上三十年。「一新薩蠻」將斯爾胡德福羊古的眞魂帶囘陽世後卽推進他的死屍裏，附入本體，不久甦醒過來，好像做了一場大夢似的。「尼山薩蠻傳」敍述薩蠻通過三道鬼門關後，看見色爾古代費揚古同衆孩子們一齊玩着金銀背式骨，薩蠻的大鳥神下來抓走，閻羅王據孩子們稟告後卽遣蒙古爾代舅舅去追趕，薩蠻酬以工錢紙醬及鷄犬等，並開始替色爾古代費揚古增添壽數而討價還價，最後加到九十歲的高齡才罷休。歸途中又到子孫娘娘廟叩見福神，子孫娘娘讓薩蠻四處遊玩觀看，包括一切生靈轉生的地方，在一座大屋裏有一個大墩轂轆滾動着，一切牲畜、走獸、飛鳥、蟲、魚等從裏面一羣一羣地跑着飛着出去。酆都城黑霧凝聚，衆鬼哀號。惡犬村扯吃人肉。明鏡山、暗鏡峯，分別善惡刑賞。其刑罰種類很多：打罵父母者以油鍋烹炸；徒弟偷罵師傅者拴在柱上射箭；妻子對丈夫粗暴者處以碎剮之刑；道士姦淫婦女及汚穢經典以三枝叉扎刺；米麵轆出抄沒者在磨上壓着處刑；誣訟破壞結親者燒紅鐵索燙灼；居官行賄者以魚鉤鉤肉處刑；嫁二夫者以小鋸切開身體；罵丈夫者割其妻的舌頭；摔房門者釘手處刑；竊聽他人話者把耳朵釘在窗上；做盜賊者以鐵棍責打；婦女身體不潔淨而在河裏沐浴以及在初一、十五日洗濯汚穢者，令其飲濁水；斜眼看老人者鈎其眼；貪淫寡婦處女者令其倚靠火柱燙灼；大夫藥不順病人吃死者則割開大夫的肚子；有夫之婦偷行淫姦者以斧砍肉等等。其後尼山薩蠻叩別了子孫娘娘循原路返回生國，把色爾古代費揚古的魂放入其原體內，色爾古代費揚古才像睡了一大覺，如夢初醒活過來。

從「尼山薩蠻傳」的敘述，可以瞭解通古斯族相信人的患病是起因於鬼祟爲厲，若惡鬼捉食了人的眞魂，則其人必死。薩蠻作法過陰，只限於身體未腐爛的病人，才肯療治，而且被捕去的魂靈也僅限於冥府所能找到者，才能靠薩蠻的神力令其附體還魂。從薩蠻降神作法的儀式，可以看出其宗教儀式是屬於一種原始的跳神儀式。薩蠻口誦祝詞，手擊神鼓，腰繫神鈴，札林助唱神歌，音調配合，舞之蹈之，身體開始顫抖，神靈附身，薩蠻卽開始喋喋地代神說話，薩蠻魂靈出竅也是經過跳神的儀式後進行的。當神靈附身及魂靈出竅時，薩蠻卽進入一種昏迷狀態。薩蠻的精神異狀或反常因素，遂使宗教心理學家

及宗教歷史學者在探討薩蠻教的起源時感到極大的興趣（註一六）、

「尼山薩蠻傳」的手稿本，其滿文有很多特異的地方，與一般新滿文的讀音及用法不同。有些名詞或動詞的音變是在單字的字尾加“n”，例如漢語「桌」，新滿文讀作“dere”，「尼山薩蠻傳」作“deren”.,漢語「工錢」，新滿文讀作“basa”.,手稿本有時讀作“basan”案新滿文“basan”，意卽馬上的弔肚，房屋的柳條笆。「尼山薩蠻傳」內有應讀“n”的字尾而將其省略，例如漢語「盔」，新滿文讀作“hūntahan”，手稿本讀作“hūntaha”，漢語「橋」新滿文讀作“doohan”，手稿本作“dooha”。手稿本將“a”、“e”改讀“i”的例子也很常見，例如新滿文“ejen”（主）、“agūra”（器械）、“damjan”（扁擔）、“kalja”（禿頂）、“ucarati”（相遇了）、“jalbarime”（禱祝）。「尼山薩蠻傳」手稿本改讀“ejin”、“ahūri”、“damjin”、“kalji”、“ucirafi”、“jalbirame”。至於“ū”與“o”的發音，手稿的用法與一般新滿文不同，例如漢語「渡口」新滿文讀作“dogon”，手稿本作“dogūn”.,漢語「手掌心」，新滿文讀作“falanggū”，手稿本作“falanggo”.,漢語「老生子」，新滿文讀作“fiyanggū”，手稿本作“fiyanggo”.,漢語「射中了」，新滿文讀作“goihabi”，手稿本讀作“gūwaihabi”.,漢語「大方」，新滿文讀作“ambalinggū”手稿本作“ambalinggo”手稿本有時將“y”與“i”混用，例如漢語「魂」，新滿文讀作“fayangga”，手稿本作“fainggo”，漢語「牙關」，新滿文讀作“jayan”，手稿本作“jain”。手稿本間亦將單字語尾的“n”改讀“i”音，例如漢語「皮包」，新滿文讀作“buktulin”，手稿本作“buktelii”。有時在“i”音後再加“i”而成長音，例如漢語「肚腹」，新滿文讀作“hefeli”，手稿本作“hefelii”.;漢語「不認識呢」，新滿文讀作“takarakū ni”，手稿本將兩個單字連寫作“takarakūnii”。手稿本內有時因詞語押韻或方言的習慣而產生音變，例如漢語「姐姐」或「格格」新滿文作“gege”，手稿本作“gehe”.;漢語「丈夫」，新滿文讀作“eigen”，手稿有時作“eihen”，有時作“eigen”，極不一致，案“eihen”，意卽「驢」.;丈夫的母親，新滿文讀作“emeke”，卽「婆婆」，手稿本作“emge”有時陽性字改作陰性字發音，如漢語「瞬間」或「一會兒」，新滿文讀作“an-dande”，手稿本作“endende”等等。前舉數例，只是犖犖大者，因此，「尼山薩蠻傳」的滿文手稿本，不僅從其內容上有助於學者對通古斯族薩蠻信仰的研究，而且從其文字上也有助於語言學者對滿洲語文的探討。

註　釋

〔註　一〕徐珂編著「清稗類鈔」，宗教類，頁六四。民國五十五年六月臺灣商務印書館。

〔註　二〕胡耐安撰「邊疆宗教概述」。見「邊疆論文集」，下冊，頁九七四。民國五十三年一月，國防研究院。

〔註　三〕伊利亞第（Dr.Mircea Eliade）原撰，札奇斯欽譯「薩蠻教」。見「新思潮」第四十五期，頁一〇八。民國四十四年一月，中華文化出版事業委員會。

〔註　四〕多桑原著，馮承鈞譯「多桑蒙古史」第一卷，第一章，頁三三。民國五十四年八月，臺灣商務印書館。

〔註　五〕「多桑蒙古史」卷一，附錄五，頁一八一。

〔註　六〕劉義棠著「中國邊疆民族史」，頁六六三。民國五十八年十一月，中華書局，魏聲龢著「吉林地理記要」卷下，頁二四，臺灣華文書局；「清稗類鈔」，宗教類，頁六四。案黑斤人，俗稱魚皮韃子，分佈於松花江、烏蘇里江下游及混同江一帶。詳見「邊疆文化論集」(二)，頁一三。凌純聲撰「中國邊疆民族」。

〔註　七〕「薩蠻教」，「新思潮」第四十五期，頁一一〇。

〔註　八〕「邊疆宗教概述」，「邊疆論文集」，下冊，頁九七五。

〔註　九〕方式濟撰「龍沙紀略」，見「明清史料彙編」，初集，第八冊，頁二三。民國五十六年三月，文海出版社。

〔註一〇〕西清著「黑龍江外紀」，「小方壺齋輿地叢鈔」第一帙，頁四〇一。民國五十一年四月，廣文書局。

〔註一一〕凌純聲撰「松花江下游的赫哲族」，頁六五九至六六〇。民國二十三年，南京，國立中央研究院。原文「嘎深」滿洲語讀作 gašan，意即鄉村。「馬法」是 mafa的音譯，意即老翁或祖父。「牙莫使」是薩蠻神的一種，能預告吉凶禍福。「媽媽」是 mama 的音譯，意即老媼或祖母。「安邦什」，原文附注，釋作「大嫂」。「安邦」是 amba 的音譯，意即大。漢語「嫂」，滿洲語讀作 asa。「大嫂」應讀作 aba asa。原文「安邦什」似為 amla asa si，即「大嫂你」之訛。「初初阿哥」，原註「初初，男兒」。案「男兒」，滿洲語讀作 haha jui。「初初」似即 jui 音譯之訛。

〔註一二〕成百仁譯註「滿洲薩蠻神歌」序文，頁一至頁四。一九七四年，漢城明知大學。

〔註一三〕凌純聲撰「中國邊疆民族」。「邊疆文化論集」(二)，頁一三。民國四十三年七月，中華文化出版事業委員會。

〔註一四〕凌純聲撰「松花江下游的赫哲族」，頁六四七。

〔註一五〕「滿洲薩蠻神歌」。附「錄尼山薩蠻傳」滿文手稿，頁四九。

〔註一六〕赤松智城撰「北方民族的巫術之起源」；「朝鮮巫俗之神統」；「蒙古薩滿之行事」；「關於滿蒙宗教」；秋葉隆撰「關於朝鮮的巫稱」；「朝鮮巫人之入巫過程」；「關於滿洲與朝鮮之薩滿教」；「滿洲薩滿教之家祭」；「薩瑪之巫祭與大仙之巫術」。井上以智為撰「清宮庭薩滿教祠殿」等篇論文俱係研究薩蠻教之重要參考資料，本文僅就「尼山薩蠻傳」滿文手稿本之種類及內容作一簡單介紹。

NIŠAN SAMAN I BITHE

第二(愛琿)手稿本裏表紙所載

葉尼塞人的鹿角薩滿神帽

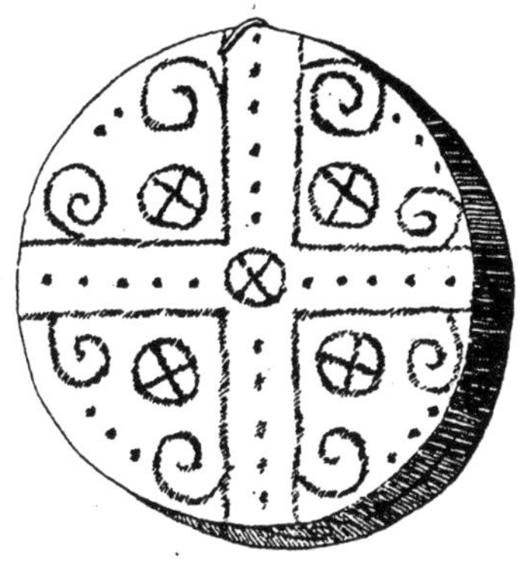

阿爾泰神鼓面

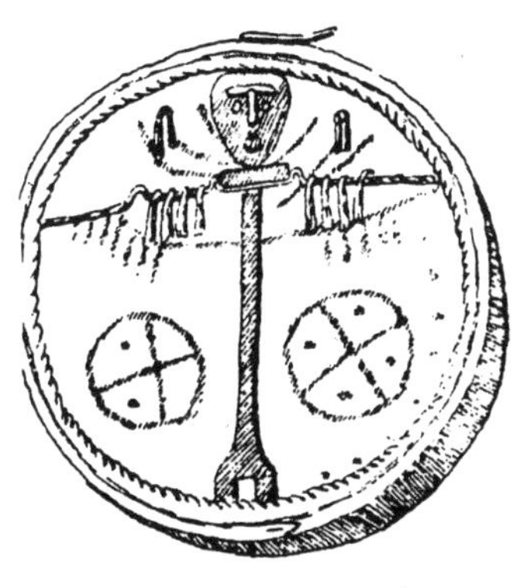

阿爾泰神鼓背

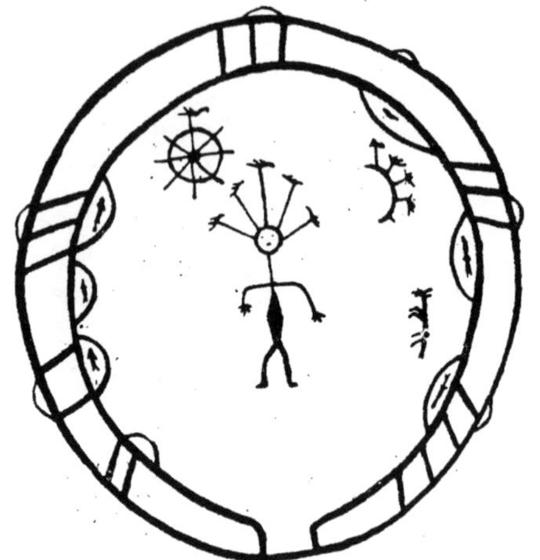

葉尼塞神鼓鼓面

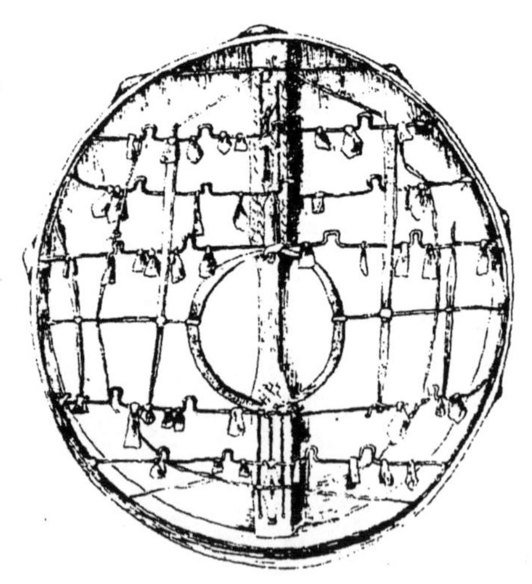

葉尼塞神鼓鼓背

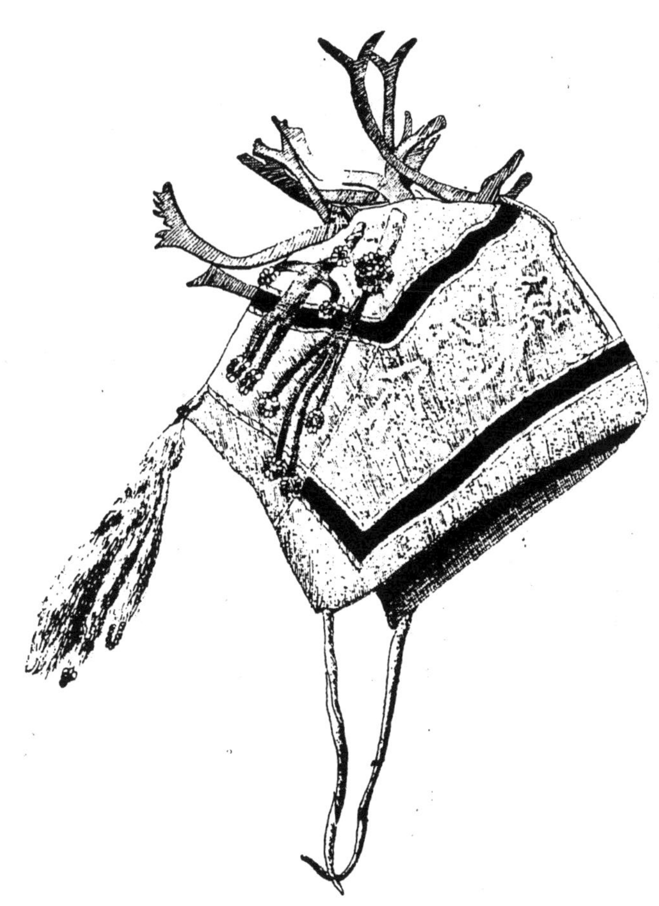

通古斯人的鹿角薩滿神帽

(採自 Jechelson: The Yukaghir and the Yukaghirized Tungus)

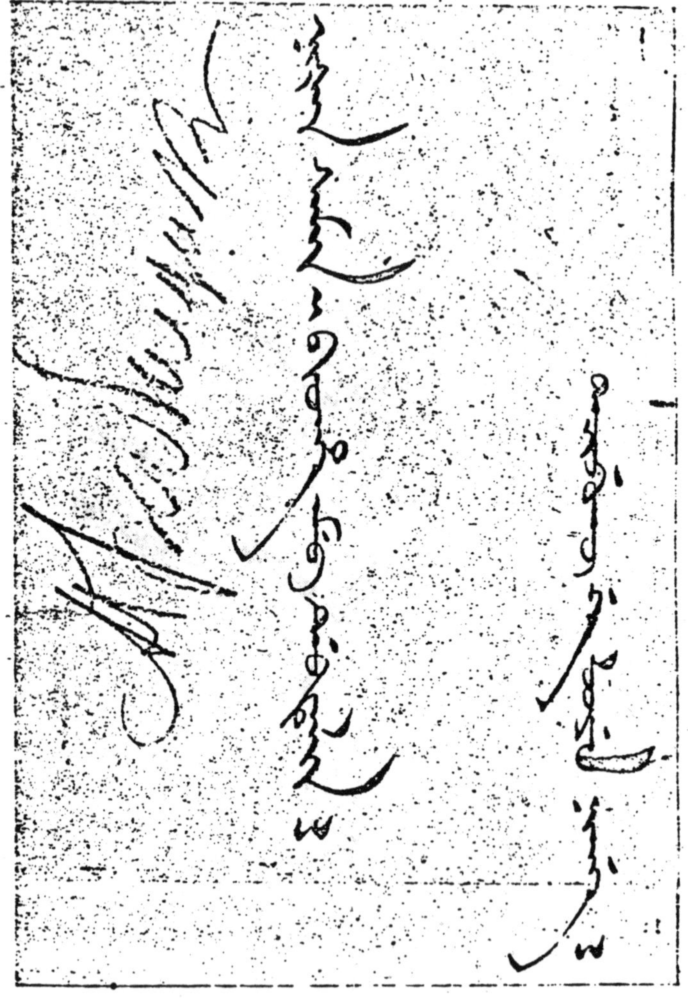

滿文表紙

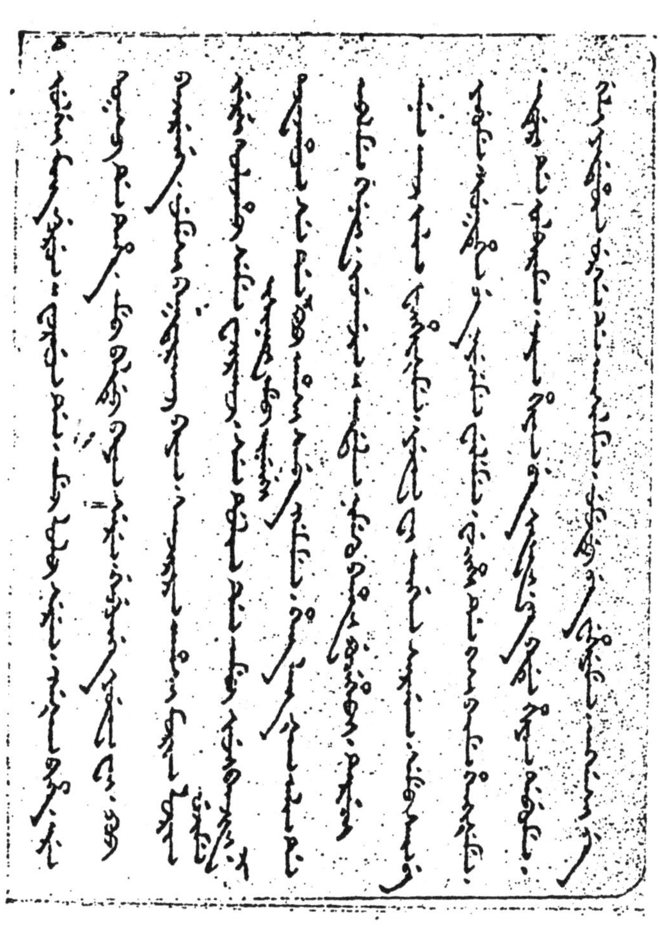

滿　文

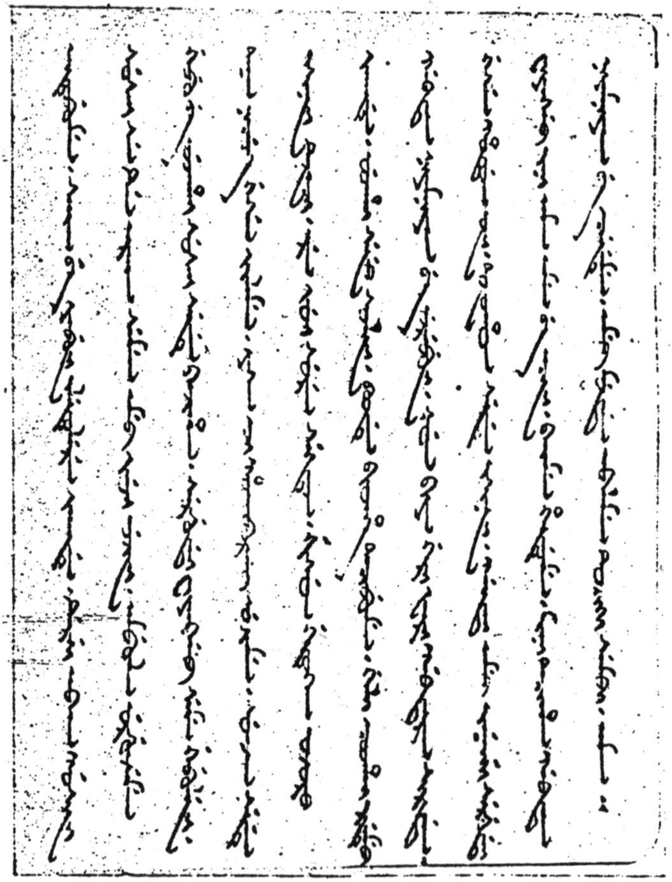

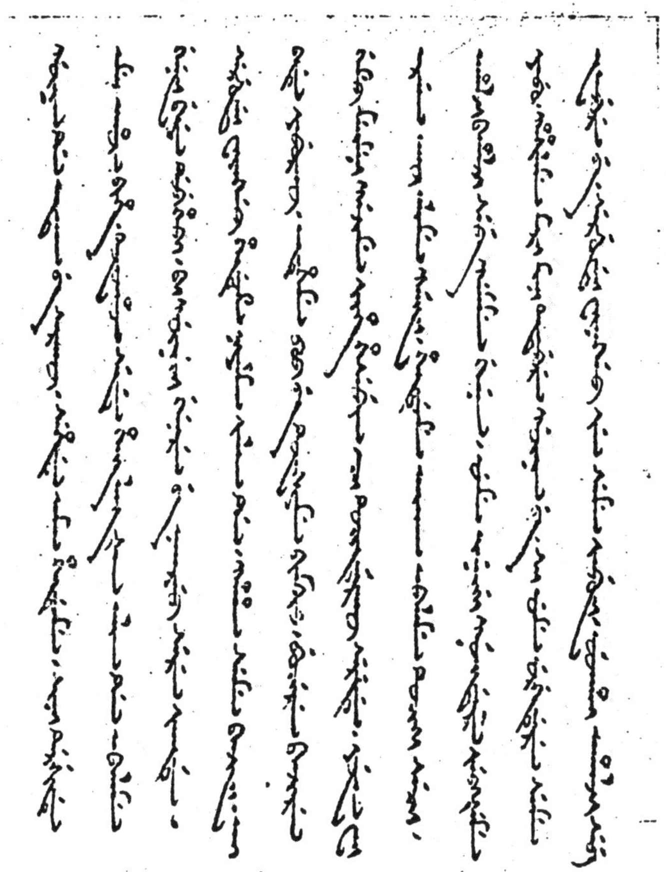

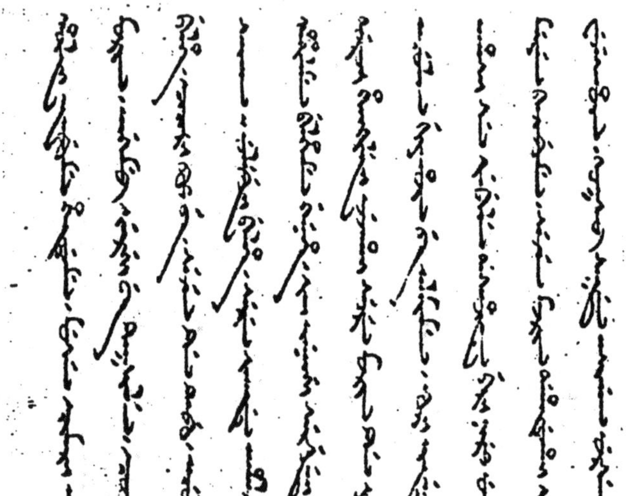